歴史文化ライブラリー
306

高松塚・キトラ古墳の謎

山本忠尚

吉川弘文館

目次

高松塚・キトラ古墳壁画の発見――プロローグ

高松塚古墳との出会い

わたしが高松塚古墳の壁画をはじめて目にしたのは、奈良国立文化財研究所（現、国立文化財機構 奈良文化財研究所）に入所した一九七三年四月、壁画発見から一年後のことであった（壁画発見は一九七二年三月二十一日）。当時はすでに調査主体が奈良県立橿原考古学研究所から文化庁へうつっており、高松塚保存対策調査会が組織され、現地保存を前提に、保存施設の建設を検討していた。新入所員研修の一環として高松塚見学が組みこまれていたのである。

なんという幸運であろう。期待でわくわくしながらせまい盗掘孔からはらばいになって身を入れた。壁画を目のあたりにしての第一印象は、「なんとこぢんまりしているのか」というもので、緑色のあざやかさも記憶にのこっている。いま考えると、それは四神の一の青龍であった。当時は、高松塚に取りくむには力不足であると自覚していたので、そのようなおもいは封印した。前年六月に発行された『高松塚壁画古墳』（朝日新聞社）や九月発行の『高松塚古墳と飛鳥』（中央公論社）に目を通すくらいのことはしたが。これらは、キトラ壁画がみつかるまえの出版であるにもかかわらず、研究の基礎と方向をしめしたものとして高く評価でき、本書でも言及する機会が多くなるであろう。なお、調査中間報告（橿原考古学研究所編『壁画古墳　高松塚』）が出版されたのは一九七二年十月のこと、まだ研究がはじまったばかりで、その内容は十分に熟したとはいいがたいが、正式な報告書であるから、議論の基本となる。

それから十年後の一九八三年、ファイバースコープによる撮影によって、キトラ古墳の石槨北壁に玄武が描かれていることが判明した。一九九八年には小型カメラによる撮影で青龍・白虎・天文図が、さらに二〇〇一年には朱雀と十二支の一部があいついでみつかり、高松塚の壁画も再検討されるようになる。わたしはこの時も遠くからながめているだけだった。

そして高松塚の壁画が発見されてから三十年余がたった二〇〇三年、還暦をむかえたのを機に、研究対象を中国考古学にしぼることにした。その一環として石製葬具（石室、石槨、石棺など）の研究をすすめているうちに、高松塚古墳と再会することとなった。高松塚の被葬者を決めるのに、その者の死亡年にこだわる必要はないのではないか、「再葬」もあり得る、という考えがうかんだのがきっかけである。再葬とは、一度埋葬した遺骸をもう一度べつの場所へ葬りなおすこと、「改葬」といいかえても可。再葬という考えかたを受けいれれば、高松塚の被葬者さがしは、七〇〇年前後という造営年代に束縛されずにおこなえるのである。かなりまえに亡くなった者でも対象としてよいのだから。中国ではけっこう再葬が多いのである。なお中国では、勤務などの関係で遠隔地で死んだばあい、出身地にもどして葬ることがあった。「帰葬」という。

被葬者とは墓に葬られた人のこと、中国では「墓主人」という。こちらのほうが埋葬された者の主体性があらわれているので、以下では墓主人をもちいる。

ずっと見まもるだけだった高松塚について急に饒舌になったのには、右のような事情があったのである。ただ、二〇〇八年一月に来村多加史『高松塚とキトラ――古墳壁画の謎――』（講談社）が出版され、この本を読んでいるうちに触発されたところ大であったことは特記しておきたい。本書のなかで彼の著書にふれる機会が多くなるのはそのためである。

わたしが生まれたのは一九四三年、大学に入学したのが六三年、高松塚壁画と出会ったのが七三年、キトラの壁画発見が八三年、天理大学に赴任したのが九三年、そして高松塚の研究に取りくみはじめたのが二〇〇三年である。どうやら三の年に縁が深いようなのだ。
なお、二〇〇八年にキトラ古墳の調査報告書が刊行された。文化庁・奈良文化財研究所・奈良県立橿原考古学研究所・明日香村教育委員会『特別史跡　キトラ古墳発掘調査報告』である。この書も議論の基本にしたい。

墓主人は誰か

高松塚・キトラ両古墳には、つくられた年代、墓主人は誰か、壁画の系譜とその意味、画家は誰かなどさまざまな問題があって、多くの人が研究し、意見を表明しているが、いまだ確定するにいたっていない。中国における様な墓誌がなく、決定的な材料が欠けるからである。

年代については、両古墳ともに七世紀末ないし八世紀はじめ、とするのが大勢であるが、キトラ七〇〇年・高松塚七二〇年説や、高松塚六八五年説が提起され、キトラのほうが新しいとする考えもある。先行諸説については、必要におうじてふれていこう。

高松塚の墓主人については、発見以来さまざまな説が出されてきた。大きくわけると、

皇族説―忍壁(おさかべ)皇子・弓削(ゆげ)皇子・葛野(かどの)王・蚊屋(かや)皇子
高官説―阿倍御主人(あべのみうし)・石上麻呂(いそのかみのまろ)
渡来系氏族説―東漢(やまとのあや)氏・高句麗(こうくり)系氏族・百済(くだら)系氏族

になろうが、いずれも決定打にはなっていない。皇族説・高官説は、ともに出土した人骨

の鑑定によって墓主人が熟年の男性であることがわかり、七〇〇年前後の時期に熟年で死亡した高位の男性という条件でしぼった結果である。東漢氏説は古墳が檜隈（ひのくま）の地にあることとむすびつけただけ。高句麗系説は天智朝に亡命してきた高句麗王家の人物であるとし、彼我の壁画に共通性があるとの前提に立つ。百済系説の根拠は百済の都、扶余（ふよ）の近くに四神の描かれた陵墓があることだけである。渡来系氏族説はもはやいきおいを失い、その命運はつきたといえよう。

壁画の淵源については、発見当初は高句麗説が有力であったが、いまは中国説で落ちついたようにおもえる。しかし、中国説をとるにしても、粉本（ふんぽん）をどのようにして手にいれたのか、などさまざまな問題がいぜんとして横たわっているのだ。粉本とは見本となる下描きのこと。昔は胡粉（ごふん）で下絵を描いたのでこのようにいう。

中国考古学の視点

そこで、いままでの研究を踏まえるとともに、それらとはことなった視点からアプローチしてみようと考えた。

非業（ひごう）の死を蒙（こうむ）っていったん埋葬された者が、のちに復権して手あつく葬りなおされた（再葬された）例が唐のはじめにはかなり多い。そのばあい、葬具には石槨を採用しているのだ。日本でも同様の経緯があり得ないだろうか、という疑問をいだいたことが発端である。高松塚・キトラはともに石槨＋漆塗木棺が葬具なのである。

その成果は、はじめての論文集『日中美術考古学研究』(吉川弘文館、二〇〇八年十月)の中で、「唐代の石槨と石棺床」と題して発表した。さいわい、論文の概要について『朝日新聞』紙上でさきに紹介する機会があったが(二〇〇八年六月十二日夕刊)、字数の関係で舌たらずの嫌いをまぬがれないものであった。本書は、以前に発表した「鳳凰と朱雀に違いはあるか」(『古事 天理大学考古学・民俗学研究室紀要』九冊、二〇〇五年三月)と、以後に発表した「キトラ・高松塚古墳の四神をめぐって」(『郵政考古紀要』四十四号、二〇〇八年十月)、「対葉花紋の研究」(『古事 天理大学考古学・民俗学研究室紀要』十三冊、二〇〇九年三月、袁香との共著)という別の二篇をあわせ、「高松塚の人物群像」と「キトラの十二支像」をあらたに書きくわえて構成しなおしたものである。各論文発表時にくらべると、わたしの研究はいささかなりとも進展しているので、当時とまったくおなじというわけではない。

まず、高松塚・キトラ両古墳の壁画を再検討することからはじめる。ついで石槨や出土遺物についても分析・検討をくわえる。そして最後に、両古墳がいとなまれたと考えられている七世紀末から八世紀はじめという時代の背景を、持統(じとう)天皇と武則天(ぶそくてん)(則天武后(そくてんぶこう))という二人の女帝を通して考察する。キーワードは「中央と周辺」である。その過程で、いままで高松塚を先に、キトラを後に記しているのにわけがあることもあきらかになるであろう。

ともすれば壁画の劣化とその責任追及にかたよりがちだが、高松塚・キトラ両古墳にはいまでもかけがえのない価値がのこっている。新しい視点をしめして今後の研究の進展を期したい。なお、中国について書くと、どうしても漢字が多くなってしまうのだが、どうかおゆるしねがいたい。

四神図の謎

四神図にまつわる諸問題

従来の説に対する疑問

キトラ・高松塚両古墳の石槨内部に描かれた壁画については、多くのひとびとによって、さまざまな角度から検討されてきた。網干善教、百橋明穂、加藤真二の諸氏などである。中国の研究者もずっと関心をよせつづけており、つい最近、王仲殊が「再論日本高松塚古墳的年代及所葬何人的問題」（『考古』二〇〇九年第三期）を発表している。そのようななかで、先にもふれた来村多加史『高松塚とキトラ―古墳壁画の謎―』は、正確な描きおこしの線画をそえて各図像を徹底的に分析したもので、壁画のもとが中国にあり、中国へ留学した絵師が粉本をもちかえったとするなど、裨益するところすくなくない。しかしなおかつ、いくつかの疑問点や来村がふれていない点があるので、四神にしぼって指摘してみよう。

その第一点は描きおこし図の縮尺が統一されていないこと。キトラと高松塚の四神を同じ大きさであつかっているが、実はちがうのである。とくに玄武のばあいにその差は大きい。

第二点は青龍・白虎の姿勢にかんして。高松塚・キトラの青龍・白虎は、どちらも前肢をつっぱって指間をひろげ、後肢は前後にひらいている。来村は「踏ん張り型」と名づけたが、いままさにあゆみを止めた姿勢であり、むしろ「静止型」と呼ぶのがふさわしい。また、青龍・白虎の尾が股間を通ってうしろにのばしたほうの後肢に一回からまり、真上にはねあがるところにも注目したい。さらに白虎の背にちがいがあること、キトラは平坦であるのにたいして、高松塚は背がやや盛りあがる。青龍についてもおなじであろう。

第三点は特に青龍にかかわる問題で、項と腰（尾のつけ根）につく魚の背鰭のような突起と頸部にある×が描かれた帯について。

第四点は玄武にかぎった話で、蛇が亀に何重に巻きついているか、亀・蛇が口を開けているか否かという点。後者に着目した議論はいまだかつてなかったようにおもう。高松塚・キトラのばあいは蛇は一重だけ巻きつき、キトラでは亀蛇ともに口をとじている。高松塚のばあいはこの部分が破損していてわからないのだが、たぶん同様であったろう。

第五は、高松塚・キトラの双方とも、青龍・白虎・玄武の亀の足指が三本で、肉食獣あるいは猛禽のようなするどい鉤爪をもつ点。龍のばあいは足指三本がふつうであるが、なぜ白虎や玄武の足指までもが三本なのか、この点についてはこれまで問題とされることはなかった。畏獣図像とのかかわりを念頭におくべきである。高松塚の青龍・白虎の爪が赤く塗られている点も謎のひとつである（のちに、一部四本指も存在することが判明した。六八頁以下でくわしく論ずる）。

第六に、フレスコ画の技法にかんする認識について。フレスコ（fresco）とはイタリア語で新しい、新鮮の意である。漆喰を塗って、生がわきの段階で顔料をのせる。乾燥する過程で表面に被膜ができ、安定するのである。したがって、短期間に仕上げないといけないし、磨き仕上げはできないことになる。ただし、正統なフレスコ画としてのブオンフレスコにたいして、フレスコセッコという技法があるという。漆喰が乾燥したあとでは顔料がしみこまないので、カゼインや膠、卵などを膠着材として、これに顔料を溶いて描く方法である。高松塚の壁画では後者の技法を採用しているとする見方が有力である。来村もこの考えに立脚するのであろう。しかし、フレスコセッコによって描いた壁画には、下絵を写した際のヘラの圧痕や針のあたりはのこらない。すくなくともキトラのばあい、フレスコセッコ説はなり立たない。

最後に、来村はキトラの壁画のほうが造形的にも筆致の点でもすぐれていて、キトラが高松塚より先行するとした。わたしは、高松塚のほうがオリジナルにちかく、したがってキトラより古いとみるが、両者にはさほどの年代差はなく、あいついで造営された、と考える。高松塚・キトラの順に記すのはそのゆえである。

以上の諸点について、まず唐代の図像資料と比較しよう。壁画ばかりでなく、石椁、石棺、墓誌の彫刻、および鏡背の紋様などである。

唐代壁画墓の時期区分

唐墓の壁画をどのように把握するかについてはさまざまな説が提起されてきた。西安地区にかんしては、宿白の五段階区分説、斉東方・張静の四時期区分説、王仁波らの三時期区分説などがあり、基本的に最後の説を採用するが、武則天（則天武后）の死と壁画の位置や内容・表現が大きく変化した時点を重視したいので、すこし修正をくわえてつぎのように区分する。

第一期　高祖武徳年間から中宗神龍二年まで（六一八〜七〇六年）

第二期　中宗景龍元年から玄宗天宝年間（七〇七〜七五六年）

第三期　至徳から唐末まで（七五六〜九〇七年）

美術史の分野では初唐、盛唐、中唐、晩唐に四期区分するのがふつうである。研究者によって多少の異同はあるが、初唐＝第一期、盛唐＝第二期、中唐＝第三期のうち八四五年まで、にほぼ対応する。ただし、初唐を六一八年から七一二年までとする者が多く、私説とは微妙にちがう。

四神とは

ところで、いままでなんらの説明もなく「四神」と記してきたが、四神とは青龍・白虎・朱雀・玄武のことである。五行思想にしたがって東西南北を象徴し、四方それぞれの方角を守護して悪霊をしりぞけたり、陰陽の気を順調にめぐらす、という役割をになった。天井に描かれた星宿図とは密接な関係がある。星宿図の中心を占める北極五星と四輔の四周に二十八宿を東西南北七宿ずつ描いている。それぞれの下に四神を配してあるのだ。もちろん色にもかかわりがあって、それぞれ青・白・赤・黒をあらわす。

戦国時代に、龍虎二神が組みあって図像に表現されるようになったが、四神がそろうのは東漢（後漢）になってから、つまり紀元後のことである。画像石や青銅鏡などにみとめられる。林巳奈夫によると、おなじころ、天上の最高神、天・帝や西王母などは人間の姿であらわされるようになるのだが、あいかわらず動物の要素をそなえた神も多い、という（「漢代鬼神の世界」『東方学報』五十七）。山、河、土地などの自然にかかわる神々であって、これらは地上にいる。また、天上でもなく地上でもない空間にただよっている「鬼神」という一群の神もいて、林は「準地上的な神」と呼ぶ。風神・雷神や畏獣などである。四神もその仲間である。

四神図の青龍・白虎は有翼で、たてがみを後方へひるがえし、まわりに飛雲（ひうん）が漂（ただよ）うので、あきらかに天空にいる存在である。一方、玄武はそのような姿態ではなく、地面に四足をふみしめた形であらわされることが多い。朱雀と考えられる鳥図像にはさまざまな姿態があり、これといった定型をしめせない。なかには蓮華座の上に立つものがある。

青龍・白虎の謎

四神図があらわされた場と大きさ

唐第一期には墓道入口ちかくの東西両壁に（唐墓の入口は原則として南むきである）青龍・白虎を描くのがふつうで、第二期になると朱雀がくわわるが（韋洞墓・七〇八年）、四神がそろうのは（玄武がくわわるのは）第二期でもかなりたってからである（韋慎名墓・七二七年）。また、この時期になってはじめて壁画が墓室内に描かれるようになった。

キトラ・高松塚の造営時である第一期末から第二期はじめにかけて、西安地区の唐墓には四神を描く習慣はないのであり、唐墓壁画にまなび得たとしても青龍・白虎だけである。第三期になると、壁画に四神を描く習慣はほぼなくなった。郯国大長公主墓（七八七年）が唯一の例であろう。なお、武則天が皇太后から皇帝になってその在位期間の前半まで、六八四年から七〇一年のあいだは河南省洛陽に遷都しており、西安地区の壁画墓は空白である。洛陽地区においても近年まで壁画墓はみつかっていなかった。ところが、二〇〇五年、洛陽市新区において二座の唐壁画墓が発掘され、墓誌により安国相王孺人唐氏と崔氏の墓であることがわかった。前者は七〇六年に埋葬されているので、ちょうど第一期のおわりの例となる。

武則天は中国史上ただひとりの女帝、日本では「則天武后」と呼ぶのがふつうだ。しかし、高宗の皇后だったときにはふさわしいが、皇帝になったあとまで武后と呼称するのはおかしい。死後「則天大聖皇后」という諡をおくられた。世に則天武后と呼ぶ根拠はここにあるが、これは武が皇帝であったことをみとめない立場からのものである。武は彼女の姓、名は照である（武則天については、一六九頁以下でくわしく紹介する）。

青龍・白虎の図像

第1図は発見当時の写真から描きおこし、縮尺約八分の一に統一したものである。先述のように、キトラと高松塚とではわずかに大きさがちがっており、細部にも差異がみとめられる。同一の下絵をもちいたのではなく、ひとつの原画から複数の下絵をおこしたと考えるべきである。

唐代壁画墓の四神、とりわけ墓道の青龍・白虎はその長さ六～七メートルに達するものがあり（たとえば、懿徳太子墓は残存長六・八メートル強、張去奢墓は七メートルをこえるという）、一九～四六センチ

第１図　キトラ（上），高松塚（下）の四神図
縮尺約８分の１（山本忠尚作図）

のキトラ・高松塚の二十倍以上の大きさである。二〇〇八年の秋、陝西歴史博物館の地下に収蔵されている壁画を何面かみせていただいたが、その大きさと筆勢に圧倒された。

これらの下絵が粉本として日本にもたらされたとは考えにくいのではあるが、いちおう検討してみよう。

青龍・白虎を描いた壁画を有する唐墓は、陝西省西安のほか、河南省洛陽、山西省太原、寧夏回族自治区固原、遼寧省朝陽、そして高句麗の領域（中国東北部から北朝鮮）でみつかっている。おのおのに若干の差異があるので、べつに記述する。また、青龍・白虎と玄武および朱雀とでは、分析法を変えなければならないので、ここでは青龍・白虎のみをあつかう。

まず、西安地区について、第一期、第二期にわけて紹介しよう（第三期にはなくなる）。四神は、壁画の他に、墓誌・石棺などに彫刻された。それらについても概観する。

〔第一期の壁画墓（歩行型、第2図）〕　墓道に青龍・白虎を描いた壁画をあつめてみた。第一期はじめの李寿墓にはなく、後半からあらわれる。ただし、李寿墓におさめた石槨には彫刻した四神がある。

長楽公主墓…貞観十七年（六四三）。墓道東壁に青龍、西壁に白虎が描かれているが、いずれも痕跡のみ。

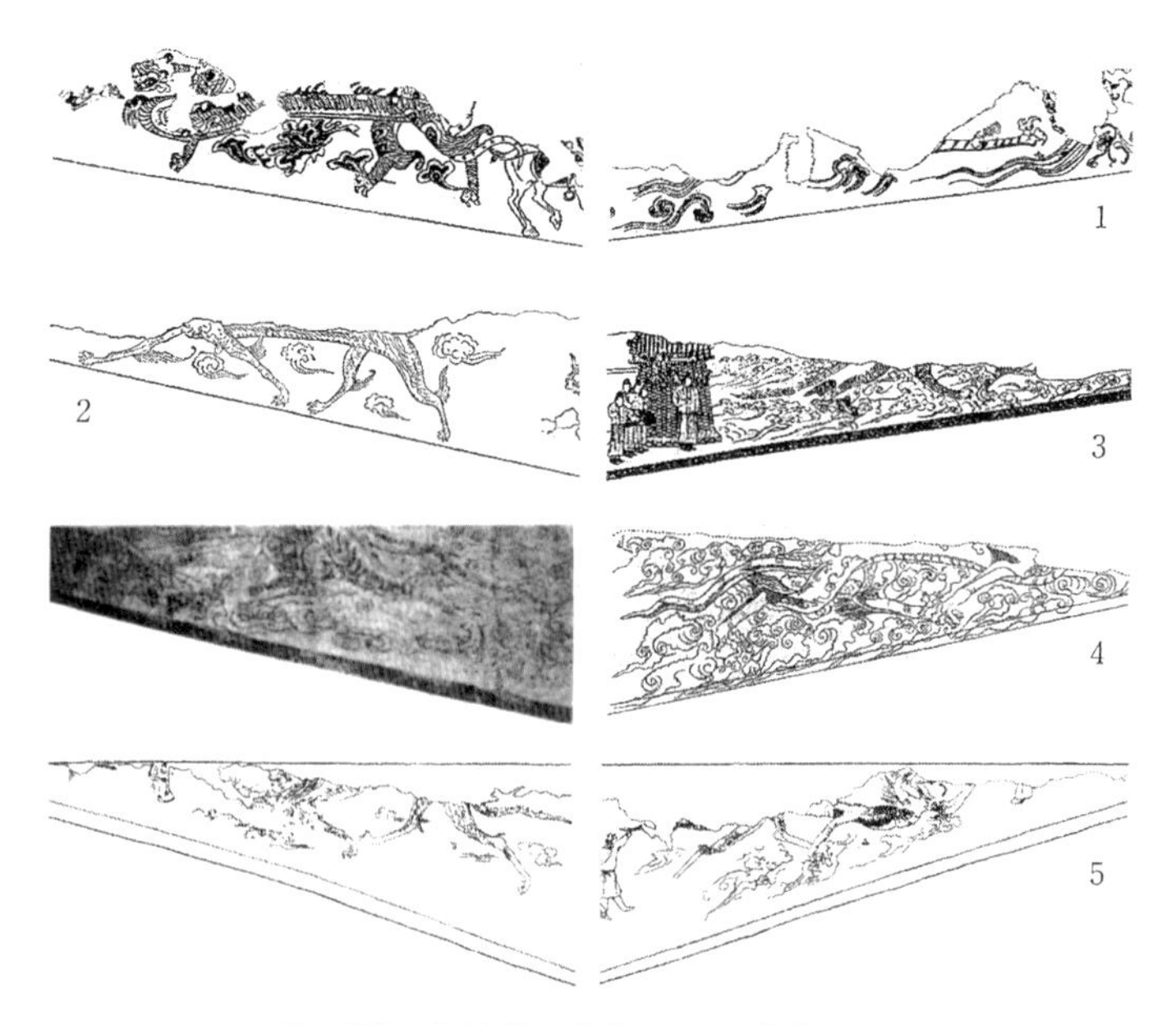

第２図　歩行型の青龍（右）・白虎（左）
1 蘇定方墓，2 阿史那忠墓，3 永泰公主墓，4 懿徳太子墓，5 安国相王孺人唐氏墓

新城長公主墓…龍朔三年（六六三）。右に同じ。

蘇君墓…蘇君の「君」は名前がわからない時につける「某」のようなはたらきの字。このばあいは蘇定方の可能性が強い。とすると乾封二年（六六七）の埋葬となる。

　青龍は下半部のみがのこるだけであるが、白虎はほぼ完存。尾が後肢にからまる。

阿史那忠墓…上元二年（六七五）。白虎の下半部のみ残存。

このあいだ、すなわち武則天の統治期間とかさなる三十年あまり、空白がある。

「公主」は皇帝の娘にあたえられる封号。もちろん地位だけではなく、経済的に保証される。「長公主」は皇帝の姉妹、「大長公主」は皇帝の伯叔母たち。長楽公主、新城長公主、房陵大長公主といったように。みな正一品である。彼女らは結婚すれば□□妻○氏と呼ばれるようになるが、身分はかわらない。

永泰公主李仙蕙墓…神龍二年（七〇六）。青龍の下半部のみ残存。

懿徳太子李重潤墓…神龍二年。青龍・白虎とも下半部のみだが、ほぼ完存。

章懐太子李賢墓…神龍二年。青龍・白虎の痕跡がのこる。

安国相王孺人唐氏墓…神龍二年。先述したように、洛陽における数すくない壁画墓のひとつである。青龍・白虎とも墓道入口の壁画としてはよくのこる。残存長は青龍が五・四メートル、白虎が四・五メートル、歩行型である。

安国相王孺人崔氏墓…唐氏墓のちかくにならんで発見された。墓誌をともなわず埋葬年は不明だが、構造などはよく似る。壁画の遺存度は悪いがほぼおなじ。

青龍・白虎はすべて墓道の南端、すなわち入口すぐの東・西両壁に描かれている。墓道の壁画は、墓室内より漆喰が薄く、それだけ遺存率が低い。しかも上部ほどくずれやすく、頭部はのこりにくいので、かんじんな情報はすくない。

「孺人」とは身分ある人の妻の称であるが、このばあいは複数いるので、妻以外の女性伴侶を指す。安国相王李旦すなわち睿宗の皇后は竇氏、そのほかに王徳妃が知られるが、いったい何人いたのか。唐氏・崔氏は史書には記載されていない。ただ、崔氏のほうは睿宗の第四子恵文太子范を生んでいる。女性のばあい、父方の姓のみを記すことが多く、その表記法が「□氏」である。

遺存するすべての青龍・白虎は、左右いずれかの二肢をまえに、反対側の二肢をうしろにむけ、墓外へ出るようにあゆむ姿である。したがって、東壁の青龍は右むき、西壁の白虎は左むきになる。第一期の青龍・白虎は「歩行型」であった、といえる。

墓やその内部に描かれた壁画などは、それだけみるといかにも豪華で死後の安寧をあらわしているようだが、そのウラには権謀術策、苛斂誅求、猜疑、殺戮がうず巻いていて、右に登場した人物たちもその例外ではない。

安国相王とは先述のように睿宗李旦のこと。睿宗は高宗と武則天の第四子。武は長子李弘を廃太子としたのち鴆殺（毒酒で殺す）、次子李賢に死を賜い、第三子中宗李顕を廃貶したあとの六八四年、旦を傀儡として帝位につけた。六九〇年、武は大周皇帝となり、睿宗

第3図　唐皇室初期の系図

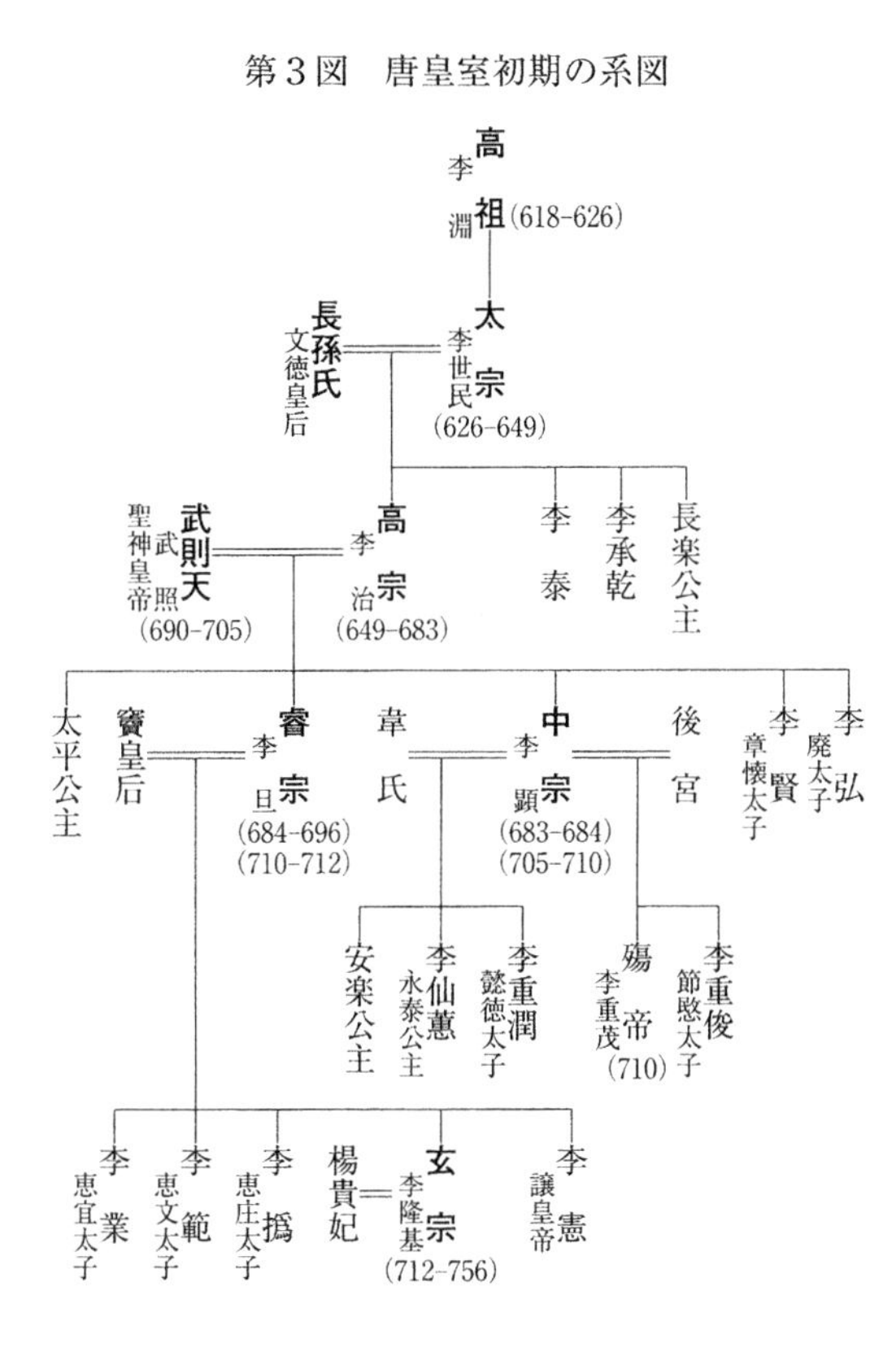

を東宮に退居させた。聖暦元年（六九八）、房州に流されていた廬陵王李顕が皇太子に復位したのにあわせ、弟である旦は皇嗣からしりぞき、安国相王という封号をあたえられたのである。

李賢は学者肌の人物で、武則天とは感情的にうまく合わなかった。そのうえ武の実子ではなく、その姉の韓国夫人の子であるという秘密をあかされ、無軌道に走るようになった。そのため皇太子を廃されて、地方官におとされ、自殺を命じられたのである。武の死後復権して章懐太子と諡され、父高宗の乾陵に陪葬されたが、本人はあずかり知らないのである。

李重潤と李仙蕙は中宗と皇后韋氏のあいだの長子と七女で、このふたりは武が寵愛していた張易之・張昌宗という美少年兄弟を排斥しようとして武のいかりにふれ、自殺させられた。死後に復権して懿徳太子と永泰公主号を追贈され、いずれも高宗の乾陵に陪葬された。

〔第二期の壁画墓（飛翔型、第4図）〕　初期の状況はよくわからない。つぎの四墓が知られるのみ。

韋洞墓…景龍二年（七〇八）。墓室東壁北に青龍・南に朱雀、西壁北に白虎・南に朱雀を描く。朱雀がくわわったが、玄武はまだない。

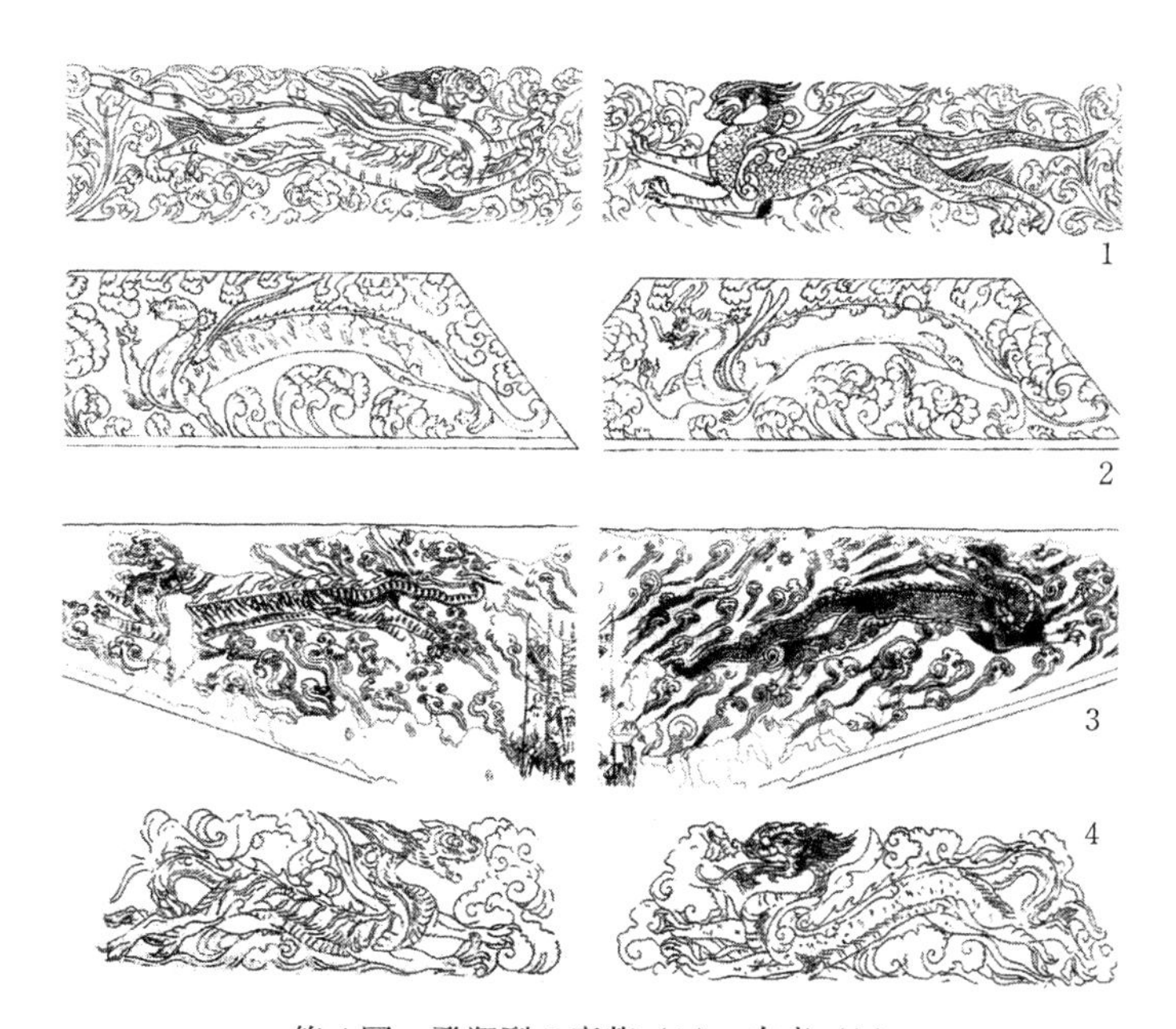

第4図　飛翔型の青龍（右）・白虎（左）
1薛儆墓誌，2李景由墓誌，3李憲墓壁画，4高元珪墓誌

韋浩墓…景龍二年。青龍・白虎が描かれているというが、図も写真も未発表のため詳細は不明。

韋洞と韋浩は太宗貴妃韋圭の弟で、武則天に厭まれ流放ののち殺されたが、韋后の復権により京に葬りなおされた。

節愍太子李重俊墓…景雲元年（七一〇）。墓道東壁に青龍、西壁に白虎のしっぽだけ残存。

万泉県主薛氏墓…景雲元年。墓道両壁に青龍・白虎がのこるという。白虎頭部の写真が公表されており、とすればかなり遺存状態がよいのではないか。

神龍元年（七〇五）正月、宰相のひとり張柬之を中心とするクーデターが成功、ただちに武則天から皇太子に権力が移譲され、周から唐へと王朝が復帰した。つづいて中宗が即位、武は西の上陽宮に移され、十一月に息をひきとった。明けて神龍二年五月、夫高宗の眠る乾陵に葬られた。

これで武が確立したさまざまな権力が中宗のもとに集中したかというと、さらに混迷の度あいは深まったのである。このあたりの事情については気賀澤保規『則天武后』（中国歴史人物選四巻、白帝社）の最終章「武后残影」がくわしく記している。

武氏一族は生きのこったし、その頭目である武三思と愛人の上官婉児、中宗の妹の太平公主や娘の安楽公主などなどが皇后韋氏を帝位につけるべく策略をめぐらした。その時皇太子であった李重俊は中宗の三男であったが、韋后の実子ではなかった。安楽公主は異母兄である重俊を除いてみずからが皇太女（こうたいじょ）につくことを画策した。皇太子は怒りを爆発させ、決起したが失敗、やがて中宗も安楽公主によって毒殺された。韋后は中宗の四男李重茂（じゅうも）を皇帝にたて、みずからは皇太后となって武則天のあとを追おうとした。その時決起したのが相王李旦（もとの睿宗）の三男、李隆基（りりゅうき）であった。この李隆基こそが、のちの玄宗になるその人である。李重俊は韋氏一族が失脚したのち復権して節愍太子と諡され、中宗定陵に陪葬された。

万泉県主の「県主」とは、公主が皇帝の娘にあたえられたのにたいして、王の娘にあたえられた号。正二品である。県はちいさな地方行政単位で、そこからの税が県主の収入になる。

玄武が登場するのは韋慎名墓からで、第二期も後半になってからである。

韋慎名墓…開元十五年（七二七）。墓道に青龍・白虎はなく、墓室南壁に朱雀、北壁に玄武が描かれている。

薛莫（せつばく）墓…開元十六年（七二八）。墓道東壁に青龍、西壁に白虎がかろうじて遺存。

李憲（りけん）墓（恵陵（けいりょう））…開元二十九年（七四一）。墓道の青龍・白虎はほぼ完存。墓室南壁の朱雀と北壁の玄武は不完全。青龍・白虎は前肢をまえにつきだし、後肢をうしろにのばし、跳躍しているような姿勢である。周囲にたくさんの雲気を配してある。韋慎名・李憲の両墓ともに玄武は全形がわからず、朱雀は正面形に描かれている。

韋君夫人胡氏墓…天宝元年（七四二）。墓道東壁に青龍、西壁に白虎。のこりは悪い。

蘇思勗墓…天宝四年（七四五）。墓道の壁画はほとんどのこっていない。墓室南壁に朱雀、北壁に玄武がのこる。

張去奢墓…天宝六年（七四七）。墓道東西に青龍・白虎が描かれている。その大きさは七メートルを超えるとされるが、図も写真も公表されていない。

張去逸墓…天宝七年（七四八）。墓道に青龍・白虎あり。

高元珪墓…天宝十五年（七五六）。墓道に青龍・白虎、墓室南北両壁に朱雀・玄武が残存。

南里王村韋氏家族墓…墓道に青龍・白虎、墓室南北両壁に朱雀・玄武が残存。

「李」というのは唐の王族の姓である。この項で登場した節愍太子李重俊と李憲、そして永泰公主李仙蕙もそのひとり。李重俊は中宗と後宮の女性とのあいだに生まれたが、先述のように皇后である韋氏を倒そうとして逆に殺された。李憲は睿宗の長男。三男の玄宗に皇帝の座を取られたが、六十三歳まで生きながらえた。死後「譲皇帝」を追贈され、その墓を「恵陵」と称した。

蘇思勗墓・高元珪墓・韋氏家族墓においては、ともに玄武は蛇が亀に三重に巻きつき、朱雀は正面形で描かれている。

第二期の青龍・白虎は、資料数がすくなく断言はできないが、李憲墓にみるように両前肢を前方につきだし、両後肢は後方に蹴った姿勢であり、「飛翔型」と呼べよう。周囲に多数の雲がただよっている。なお、泉屋博古館が所蔵する「四神文鏡」など、盛唐期の鏡に鋳出された青龍・白虎も飛翔型である。歩行型と飛翔型のちがいは時期差に由来すると考えてよかろう。

〔地方の壁画墓（招き型、第5図）〕　西安地区以外にも壁画墓が存在する。山西省太原、寧夏回族自治区固原、そして遼寧省朝陽である。固原地区ではいまのところ青龍・白虎はみつかっていない。

山西省太原市金勝村第四号墓・第三三七号墓…どちらも墓頂に四神が描かれていると報告されているが、損傷がいちじるしいようで、詳細は不明。

山西省太原市金勝村第六号墓…四神がそろうというが、写真が公表されたのは白虎と玄武のみ。

山西省太原市焦化廠唐墓…穹隆頂下半部に四神が描かれている。青龍・白虎は

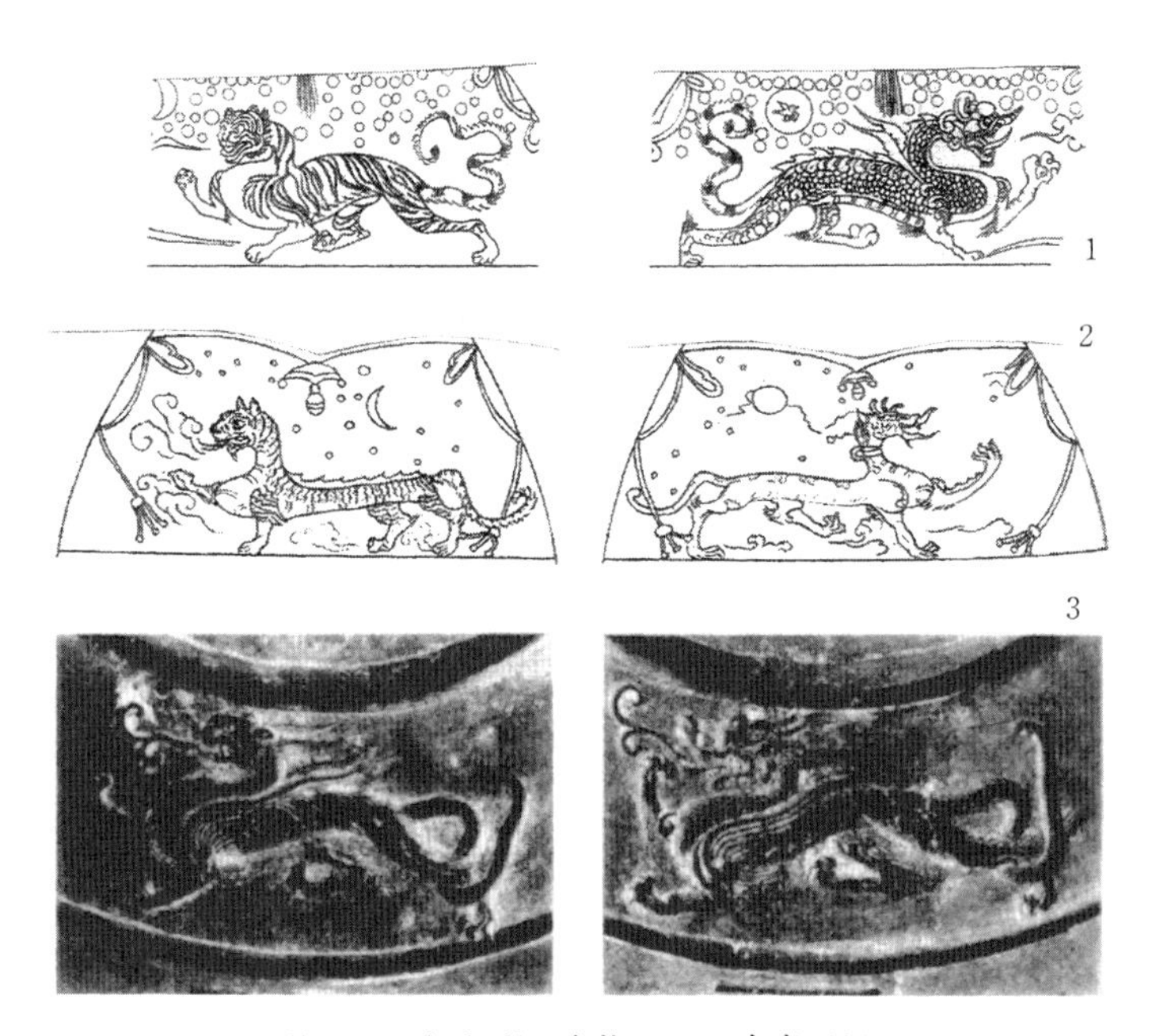

第５図　招き型の青龍（右）・白虎（左）

１太原焦化廠墓壁画，２温神智墓壁画，３正倉院十二支八卦背円鏡

立ちどまった姿勢で、後肢を前後にひらき、前肢の一方を上にあげる。高宗あるいは武則天期、すなわち西安地区の第一期に併行する時期と考えられている。

山西省太原市温神智墓…開元十八年（七三〇）。壁画展開図が公表されており、青龍・白虎は焦化廠墓によく似ている。

山西省太原地区の諸例では、青龍・白虎のかっこうは、片手をあげてまるでオイデオイデをしているようなので、「招き型」と名づけよう。この地では、第一期・第二期を問わずおなじ姿勢をとっていることになる。正倉院「十二支八卦背円鏡」の青龍・白虎も招き型の仲間である。

寧夏回族自治区固原史索岩墓…顕慶元年（六五六）。第五過洞口上方に朱雀のみ残存。正面形である。固原地区では、四神壁画の数がすくなく、傾向をとらえることはかなわない。

遼寧省朝陽袁台子墓…西壁に青龍、東壁に白虎が描かれ、ともに前肢をまえに出してふんばり、後肢は前後にひらく。太原地区とは姿勢がすこしちがう。両者の背の上にちいさく鳥があらわされている。四世紀はじめからなかごろの東晋代あるいは前燕代と考えられ、壁画として表現された四神として最古の例である。

墓誌がともなっていて誰の墓かわかるばあいは□□墓と呼べるが、わからない時には地名をとって金勝村墓、袁台子墓などと呼ぶ。これは日本でもおなじである。

〔高句麗の壁画墓（遊泳型、第6図）〕　高句麗では、都があった吉林省集安（輯安）と朝鮮平壌に墓は集中する。

高句麗古墳おのおのの年代についていては、いまだに定まったとはいえず、研究者によって五十年、百年ちがうこともあってとまどうのであるが、ここでは金基雄の編年にしたがう。また、鮮明な写真がとぼしく、発表された線画も信頼するにたりるか不安がある。その中で、東京大学が所蔵する小場恒吉による模写はすぐれものであり、できるだけこれに依拠することにしたい（『高句麗古墳壁画』共同通信社）。

五世紀前半に壁画が描かれるようになり、四神は五世紀なかごろから六世紀なかごろにかけて、多くの古墳に描かれた。五世紀後半の集安舞踊塚では青龍・白虎・双鶏が、環文塚では青龍・白虎が表現されているが、玄武はみあたらない。六世紀の長川一号墳の段階で四神がそろう。平壌地域では三室塚・薬水里古墳も同時期で、これらにおいてはいずれも天井空間に表現されている。四壁に描かれるようになるのは、六世紀後半の大安里一号墳・通溝四神塚、五盔墳五号墳・四号墳、真坡里一・四号墳などで、この時期に最盛期をむかえた。そして六世紀末から七世紀にかけて、湖南里四神塚、内里一号墳、江西大墓、江西中墓などで終焉へむかう。舞踊塚・長川一号墳・三室塚では青龍・白虎ともに右む

第６図　高句麗壁画（遊泳型）の青龍（右）・白虎（左）
１舞踊塚，２長川１号墳，３三室塚，４薬山里古墳，５大安里１号墳，６湖南里四神塚，７五盔墳４号墓，８真坡里１号墳

きであるのにたいして、薬水里・大安里・湖南里四神塚・五盔墳では青龍は右むきであるが白虎は左むきである。

高句麗古墳の青龍・白虎は、胴長で水平に近く、前肢をまえに後肢をうしろにのばしあたかも天空を泳いでいるような姿勢「遊泳型」と、後肢を前後にひらいた唐墓第一期の「歩行型」にちかい姿勢の二種がある。また、首が短いものから、だんだんと立ってS字状に長くなる傾向や、尾端がS字状に屈曲するものからまっすぐになる変化もみてとれる。また、青龍の角は一本のばあいと二本のばあいがあり、前者に古いものがおおい。高句麗の四神は定型化しておらず、それぞれの場で適当にアレンジしていたのであろう。いずれにしても、キトラ・高松塚に影響をおよぼしたとはおもえないのである。年代もかなり古く、両者に接点はみとめがたい。

〔石刻画像〕　壁画が粉本になり得ないとすると、それ以外の図像資料に目をむけなければならない。石棺・墓誌などの石刻資料と画像磚（せん）、鏡などである。来村も、唐墓壁画の四神図は意外にすくなく、キトラ・高松塚の画家がみならったものの候補として、青龍にかぎってとことわりながらも、乾陵（太宗の墓）の神道（しんどう）石刻をあげている。ひとつは「翼（よく）馬（ば）」の台座側面、もうひとつは「無字碑（むじひ）」と呼ばれる石碑の側面に線刻されたもので、後者は「昇龍図」で縦位置の画像である。

唐代墓誌の蓋は低い截頭方錘台形（中国では覆斗形という）で、四つある斜面部分（「斜殺」あるいは「四殺」という）、あるいは誌石の側面に四神を一体ずつ彫刻する。前者が多く、時がたつにしたがって方錘部分が高くなる傾向があり、四神の姿勢もそれにおうじていくらか高くなる。唐第一期に対応する時期の墓誌として以下をあげよう。

独孤開遠墓誌蓋…貞観十六年（六四二）
史索岩墓誌蓋…顕慶元年（六五六）
安元寿夫人翟氏墓誌蓋…光宅元年（六八四）
淳于武斌夫人左氏墓誌蓋…延載元年（六九四）

前後の二例のばあいは、四殺の幅がせまいので、青龍・白虎は横に引きのばしたような姿態である。前肢をそろえて前方にのばし、後肢は前後にひろげる。高句麗の遊泳型にちかい。史索岩のばあいは誌石の側面に彫刻されているため、そのような制約はなく、青龍は前肢を前方につきだし、後肢を前後に開く。頭部は見返りの姿勢で、尾が左後肢にいったんからまり、後方へとのびる。指は三本で鉤爪をあらわにする。きわめて躍動感にとんだ、すぐれた作品である。これにたいして、白虎は写実的、四肢をふんばった静止型で、指は四本ある。

夫人というのは妻以外の女性伴侶のこと。唐の時代には一夫一婦ではなく、妻のほかに複数の夫人をもつのがあたりまえだった。つまり男性の後継者を生ませることが至上命題だったのである。皇帝のばあい、妻は后であるが、その次の地位に四人の妃がいた。貴妃・淑妃・徳妃・賢妃である。妃も夫人と呼ばれた。

「独孤」とか「長孫」といった二字姓、「阿史那」などの三字姓は漢民族以外のもので、複姓と総称される。独孤は匈奴、長孫は拓跋、阿史那は突厥の姓である。漢化すると一字にかえることもある。鮮卑族拓跋氏が樹立した北魏の王族「司馬」は「元」に、「紇豆（頭）陵」は「竇」姓にかわった。「愛新覚羅」は清王朝を打ちたてた王族の姓、なんと四文字なのだ。もちろん、これは原語の姓を中国語で表記しようとしたためである。なお、「安」は漢化したソグド人が名のった姓のひとつ。安国（ブハラ）からやってきた人々である。同様に「康」姓はサマルカンド出身者であるし、ほかに「史」など総数九姓があったので、昭武九姓という。六一七年、李淵が長安を占拠したころ、原州（固原）のソグド人である史索岩・史訶耽に率いられた史氏集団は李淵へ帰属することを決断し、唐の建国におおいに寄与した。安禄山もソグド系の人。

第二期に属する例には以下のようなものがある。何人かの人名はすでに出てきたので、もうお馴染になったのでは。

薛儆墓誌蓋…開元八年（七二〇）

馮君衡墓誌蓋…開元十七年（七二九）
李景由墓誌蓋…開元二十六年（七三八）
張去奢墓誌蓋…天宝六年（七四七）
張去逸墓誌蓋…天宝七年（七四八）
高元珪墓誌蓋…天宝十五年（七五六）

第二期の諸例において、青龍・白虎はすべて飛翔型に属する。高松塚・キトラ四神の粉本の候補とはなりえない。

〔石　棺〕　唐代には石製の葬具は基本的に禁止されており、唐代の石棺と呼ばれるものは、長さ五〇〜六〇チセンていどしかなく、塔の基壇に埋納する舎利容器の外護施設と考えるべきものである。それらのうち、四神とかかわる例をあげる。

河北省張家口市宣化区出土石棺形舎利容器…両帮に青龍・白虎、前擋に朱雀、後擋に玄武を線刻。青龍・白虎は歩行型すなわち唐壁画墓の第一期と同じである。帮は側板、擋は小口を意味する。

高松塚・キトラのばあい、青龍はともに右むきであるが、白虎は高松塚が左むき、キトラは右むきである。それでも姿勢はおなじで、先述のように、前足をそろえてつっぱり、後肢のみを前後にひらいている。しかも手足の指間をひろげて鉤爪をむき出す。疾走して

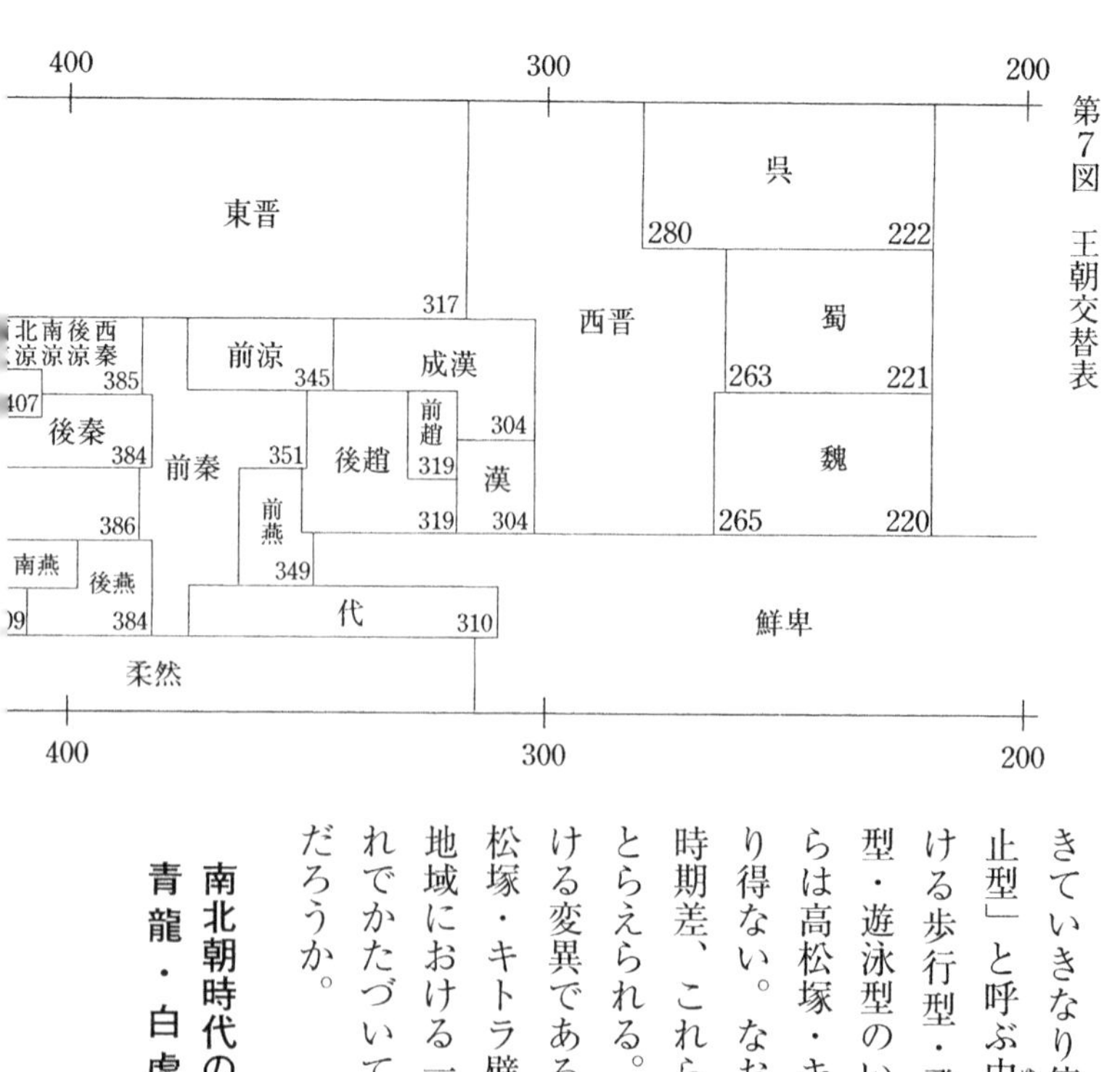

第7図　王朝交替表

きていきなり停止したようにおもえる。「静止型」と呼ぶ由縁である。唐代西安地区における歩行型・飛翔型、あるいは地方の招き型・遊泳型のいずれともちがっており、それらは高松塚・キトラ壁画の粉本の候補とはなり得ない。なお、歩行型と飛翔型のちがいは時期差、これらと招き型のちがいは地域差ととらえられる。高句麗のばあいも一地域における変異であろう。そうであるとすると、高松塚・キトラ壁画の特異性も唐文化圏の周辺地域における一変異ととらえれば、問題はそれでかたづいてしまう。はたしてそれでよいだろうか。

南北朝時代の青龍・白虎

以上のように、唐代の壁画や石刻資料に高松塚・キトラ四神の粉本の候補がみつ

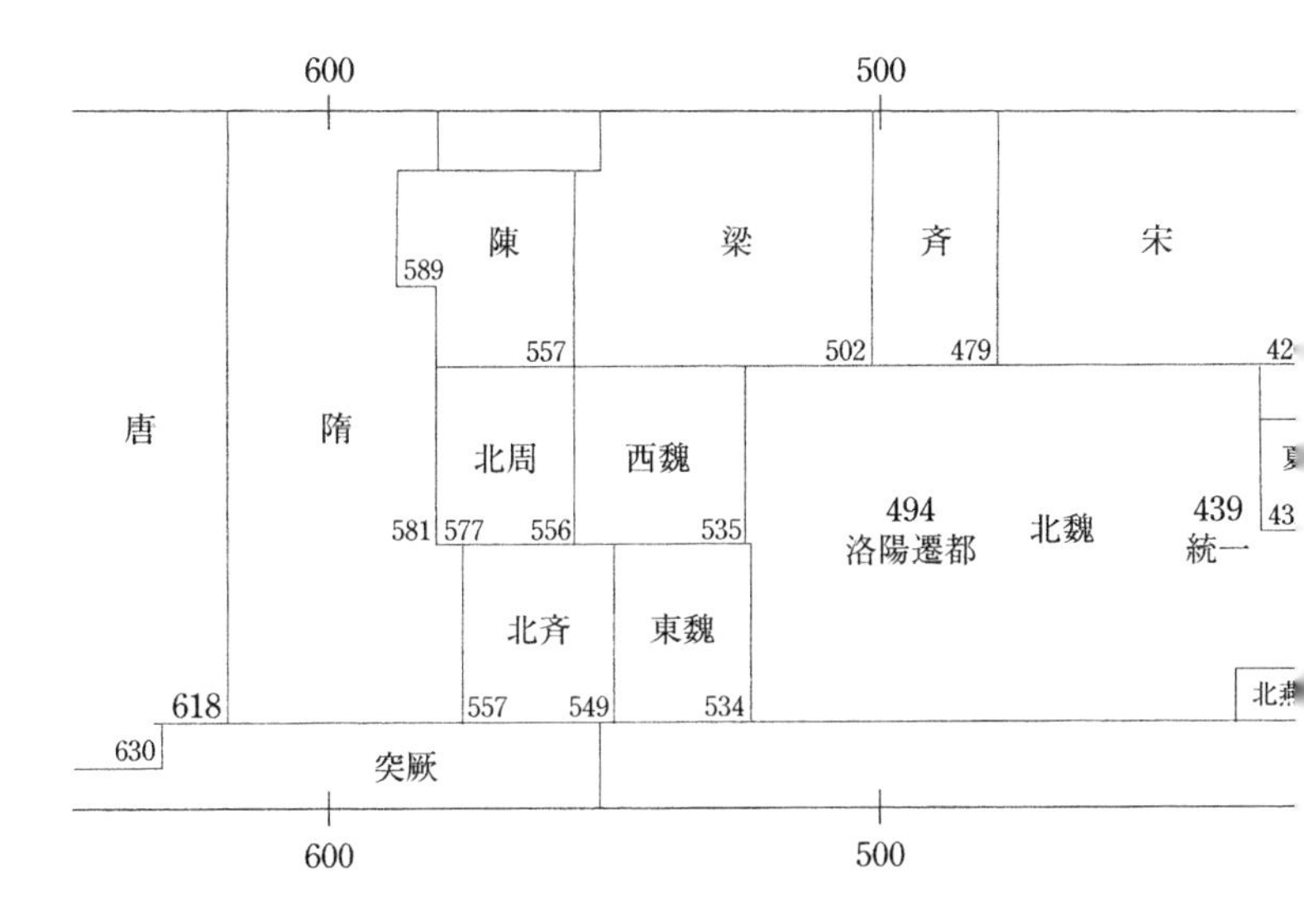

からないとすると、さらにさかのぼって検討してみる必要が生じてきた。南北朝から隋にかけて、四神は壁画、石棺、墓誌、塼（せん）などに表現されている。

北魏・北斉・北周という王朝名は、南朝の宋・斉・梁・陳にたいして北をつけて区別した便宜的な呼びかた、ほんらい北はつかない。北魏はのちに分裂し、以後は「東魏」・「西魏」と呼ばれる。

殷周の周の時代から、長安（現在の陝西省西安付近）に都をおく王朝に「西」をつけ、「西周」・「西漢」・「西魏」と呼び、東の洛陽（河南省洛陽）に都をおいた「東周」・「東漢」・「東魏」と区別した。日本では西漢を「前漢」、東漢を「後漢」と称するが、「前周」「後周」とはいわない。おかしな話である。本書では西漢・東漢を採用している。

〔壁　画〕　東魏と北斉の王朝は洛陽ではなく「鄴城」を都とした。河北省磁県・河南省安陽にまたがる地である。壁画墓はこの鄴城の付近と、山西省太原、山東省青州などの諸地区に分布している。

茹茹公主墓…東魏武定八年（五五〇）。茹茹隣和公主閭叱地蓮の墓。墓道の両壁入口ちかくに青龍・白虎を描く。白虎はほぼ完存、青龍は下半身がのこる。歩行型である。

崔芬墓…北斉天保二年（五五一）。墓室の覆斗形墓頂部の下に四神を描く。青龍・白虎はうえに仙人をのせた昇仙図であるが、龍虎の姿勢は歩行型にちかい。

湾漳墓…湾漳は地名。北斉の文宣帝高洋の武寧陵である可能性が強い。とすると乾明元年（五六〇）に埋葬されたことになる。墓道両壁の入口ちかくに青龍・白虎がほぼ完存。歩行型である。

太原第一熱電廠墓…北斉。山西省太原の南郊で発見された。墓室の東西両壁に青龍・白虎が遺存。歩行型である。なお、熱電廠とは火力発電所のこと。

閭叱地蓮は北方遊牧帝国柔然の可汗、阿那環の孫である。東魏の権臣高歓は西魏の宇文泰らに対抗するために柔然と姻戚関係をむすんだ。閭叱地蓮はわずか五歳、自分の九男高湛(こうじん)の嫁として迎えた。湛はのちに北斉の皇帝（武成帝）になるので、生きていれば皇后になれたはずだが、十三歳の若さで亡くなった。

崔芬は北朝の一流士族清河崔氏(せいかさいし)の出身で、その墓は山東省臨朐(りんきょう)県でみつかった。

〔石　棺〕知られる石棺はごく少数である。いずれも北朝のもので、後述の壁画より古い。龍虎のみをあらわした「龍虎」石棺と、仙人あるいは墓主人夫婦が騎乗した「昇仙」石棺および「騎龍・騎虎図」石棺とがある。

元謐(げんひつ)石棺（ミネアポリス美術館蔵）…洛陽城西李家凹南地で一九二〇年ごろに出土したと伝える。墓誌により北魏正光五年（五二四）の埋葬とわかる。主題は孝子図であるが、左右両帮に青龍・白虎の画像がある。両者ともにいままさにあゆみをとめ、うしろを見返すポーズをとる。

昇仙石棺（開封博物館蔵）…洛陽邙山(ぼうざん)下海資村出土。左右両帮に仙人が騎乗した龍虎、足擋に玄武をあらわす。龍虎はともに両前肢を前方にふみ出し、後肢を前後に開いた歩行型にちかい姿勢である。

龍虎石棺（洛陽古代芸術館蔵）…地の部分は亀甲繋(きっこうつなぎ)で、亀甲内部に種々の神獣をおさめる。左右両帮の亀甲繋をおおうように青龍・白虎を彫り、後擋の一亀甲内に玄武をいれこんである。青龍・白虎は歩行型。

騎龍騎虎図石棺（洛陽古代芸術館蔵）…洛陽邙山上窯村出土。左右帮に彫刻された仙人騎乗の龍虎は見返りの姿勢をとる。棺底の前後にも青龍・白虎がむきあった場面があらわされている。歩行型である。

以上は洛陽周辺でみつかり、多くは剔地線刻技法で彫刻したもので、北魏後期に位置づけられる。剔地とは紋様部分をのこして地を浅くけずる技法。紋様が浮きあがる。

つぎの三例は出土地が西安付近で、彫刻技法は線刻、北周代のものである。

龍虎石棺（所蔵者不明）…洛陽出土。左帮に青龍、右帮に白虎を線刻してある。歩行型。

匹婁歓石棺（西安碑林博物館蔵）…北周建徳元年（五七二）。右例とよく似た線刻の青龍・白虎。

龍虎石棺（個人蔵）…出土地不詳。左帮に青龍、右帮に白虎を浮彫で表現。北魏というが、北斉あるいは北周代のものと考えるべきであろう。

これらの多くは、前擋に朱雀、後擋に玄武を表現しているので、「昇仙」石棺と呼んでいるが、「四神」石棺なのである。

〔墓　誌〕北魏墓誌の装飾には唐草などの植物紋が多く、まれに畏獣なども採用された。四神はすくない。最も古い神亀二年（五一九）の元暉墓誌では四神は誌石側面にあらわされたが、永安二年（五二九）の爾朱紹以降は、唐代とおなじく、四神は蓋の四殺に彫刻されるようになった。いずれも青龍・白虎は歩行型である。隋になると飛翔型にかわった。

独孤羅墓誌…開皇二十年（六〇〇）
史射勿墓誌…大業六年（六一〇）
張　寿墓誌…大業十一年（六一五）

などである。

〔磚　画〕南朝の墓室を築く磚のなかに、四神を凸線や浅浮彫、彩絵などであらわした画像磚がある。磚はレンガのこと。粘土を型枠のなかにつめ、これをひっくり返して乾燥し、窯で焼けばできあがり。型枠にあらかじめ紋様を刻んでおけば、同紋の磚がたくさんできる。

江蘇省丹陽胡橋仙塘湾（鶴仙坳）画像磚墓
江蘇省丹陽建山金家村画像磚墓
江蘇省丹陽胡橋呉家村画像磚墓

右の三者は南斉（南朝の二番目の王朝）帝陵と考えられる。墓室は磚づみで、壁面を磚に凸線であらわした部分を数百個組みあわせて全体の画像を完成させた磚画でかざる。東壁に青龍、西壁に白虎があらわされており、いずれも前方にむかいあって立つ羽人とたわ

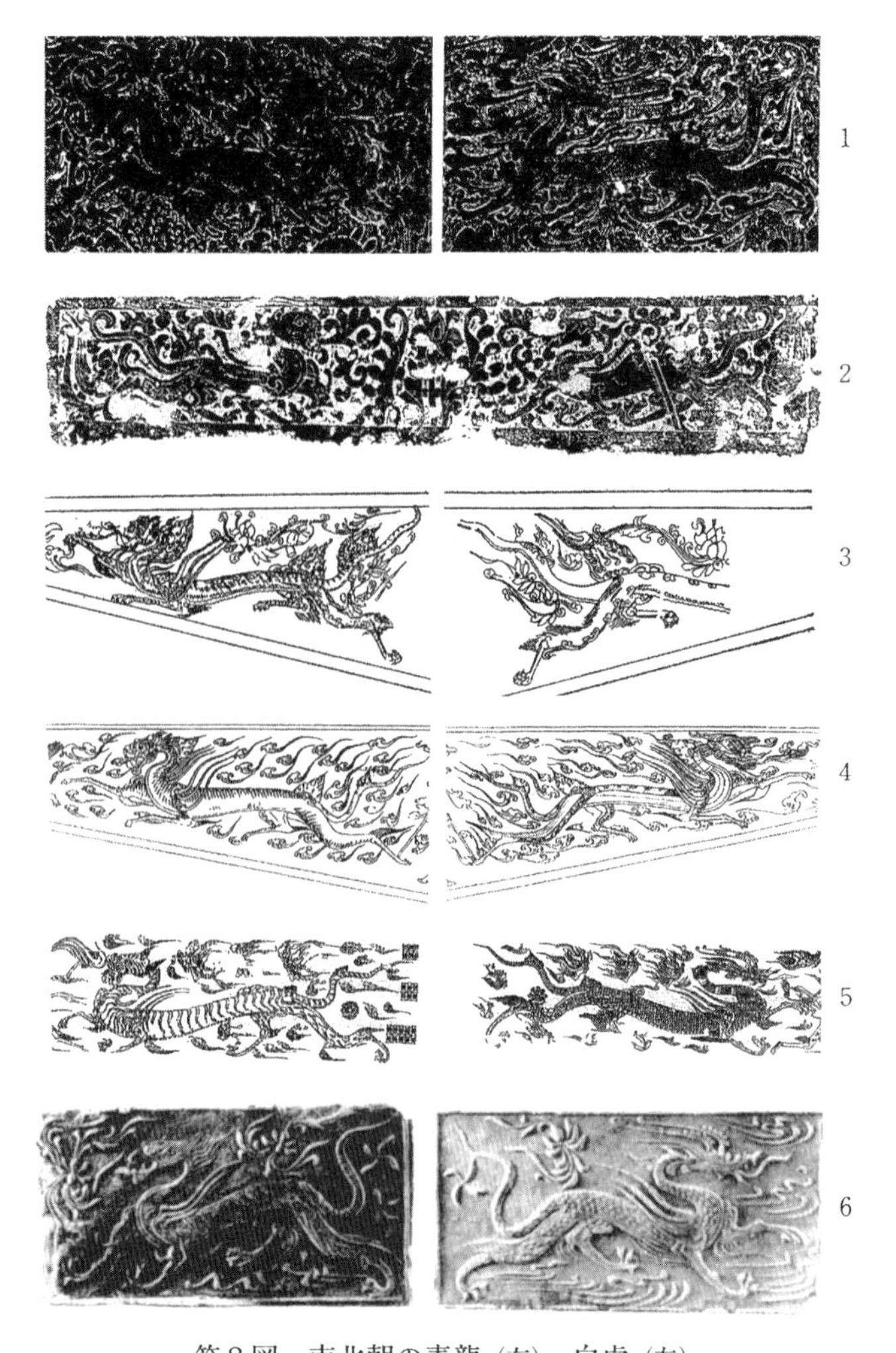

第８図　南北朝の青龍（右）・白虎（左）

１元謐石棺（524年），２洛陽昇仙石棺（北魏），３茹茹公主墓壁画（550年），４湾漳墓壁画（560年），５丹陽金家村墓磚画（南斉），６鄧県画像磚墓（南朝）

むれているので、「羽人戯龍・戯虎図」と呼ぶ。どちらも歩行型である。仙塘湾と金家村の磚画は、町田章によって同笵と認定された（「南斉帝陵考」奈良国立文化財研究所編『文化財論叢』同朋舎出版）。「笵」は雌型のことで、先にふれた型枠のこと。おなじ型からつくったものを同笵という。

河南省鄧県彩色画像磚墓…東晋〜梁。一枚の磚に一場面の画像を浅浮彫であらわす。青龍・白虎は静止型。

甘粛省敦煌仏爺廟湾一三三号墓・三七号墓画像磚…一枚の磚に一体の四神などを顔料で描く。青龍・白虎は前肢をそろえた静止型で、キトラ・高松塚にちかい。足指も三本。

以上の南北朝諸例のうち、石刻資料では前肢の一方を前方にややのばし、他方を体側に引きぎみ。後肢は前後に大きくひらく。唐代壁画の第一期、すなわち歩行型にちかい。これらが唐墓壁画第一期後半になって復活したのであろう。石棺は隋代のものが数例あるが（李和墓・潼関村壁画墓など）、棺蓋の主題は伏羲・女媧（中国の神話に登場する男女二神、人類の祖先）であり、四神はみとめられない。一方、磚のばあいには歩行型が多いが、静止型もあり、キトラ・高松塚に似ている。

曾布川寛は、北朝の諸例が北魏孝文帝が大同から洛陽へ遷都した四九四年よりのちの

第1表　隋唐石刻の青龍・白虎一覧（細部がわかるもののみ）

表現された場	出土地	年代	種類	宝珠	背鰭	頸飾	配置（始点）	姿勢／尾
段威及妻劉妙容墓誌・蓋	陝西咸陽	隋・開皇十五年（五九五）	四神	（炎）	腰のみ	なし	並行（6時）	飛翔型
独孤羅墓誌・蓋	陝西咸陽	隋・開皇二十年（六〇〇）	四神	なし	全背	なし	並行（6時）	歩行型
史射勿墓誌・蓋	寧夏固原	隋・大業五年（六〇九）	四神	頸・腰	背のみ	なし	循環（6時）	飛翔型
王伯墓誌・蓋	河南洛陽	隋・大業六年（六一〇）	四神	頸	なし	なし	並行（12時）	静止型
姫威墓誌・蓋	陝西西安	隋・大業六年（六一〇）	四神	（帯）	腰のみ		並行	
張寿墓誌・蓋	不詳	隋・大業十一年（六一五）	四神	頸・腰	なし		並行（6時）	歩行型
張濬墓誌・蓋	河南洛陽	隋・大業十二年（六一六）	四神		なし		二獣対向（12時）	
李立言墓誌・蓋	陝西西安	唐・貞観五年（六三一）	四神	頸・腰	なし	なし	並行（6時）	歩行型
王宣墓誌・蓋	陝西西安	唐・貞観十四年（六四〇）	四神	腰	背	なし	並行（6時）	静止型
独孤開遠墓誌・蓋	陝西咸陽	唐・貞観十六年（六四二）	四神	頸・腰	頸・背	なし	並行（不明）	歩行型
李麗質墓誌・蓋	陝西礼泉	唐・貞観十七年（六四三）	四神	不明	不明		並行	
長孫君妻段簡璧墓誌・蓋	陝西礼泉	唐・永徽二年（六五一）	四神	頸・腰	全背	なし	並行（6時）	飛翔型
李玄済墓誌・蓋	陝西西安	唐・永徽五年（六五四）	四神	頸・腰	背	なし	並行（6時）	静止型
趙周墓誌・蓋	陝西西安	唐・顕慶元年（六五六）	龍虎	頸・腰	背	なし	並行（獣面）	飛翔型
張士貴及妻岐氏墓誌・蓋	陝西礼泉	唐・顕慶二年（六五七）	四神	なし	全背	なし	並行（6時）	飛翔型
支隆墓誌・身	河北臨漳	唐・顕慶三年（六五八）	四神	頸・腰	全背	第2類型	並行	歩行型
劉應道妻李婉順墓誌・蓋	陝西長安	唐・龍朔元年（六六一）	四神	不明	不明	なし	並行（6時）	飛翔型
新城長公主墓・墓門扉	陝西礼泉	唐・龍朔三年（六六三）	龍虎	なし	全背	なし	対面（―）	静止型
史索岩夫婦墓・墓門扉	寧夏固原	唐・麟徳元年（六六四）	龍虎	なし	背	**第1類型**	対面（―）	静止型
史索岩墓誌・蓋			四神	頸	なし	**第1類型**	並行（6時）	歩行型／**肢間**
程知節墓誌・蓋	陝西礼泉	唐・麟徳二年（六六五）	四神	なし	全背	なし	並行（6時）	歩行型
李震墓誌・蓋	陝西礼泉	唐・麟徳二年（六六五）	四神		全背		並行（6時）	歩行型
段倹妻李弟墓誌・蓋	河南洛陽	唐・乾封二年（六六七）	四神	（炎）	なし	なし	循環（**9時**）	歩行型
王師墓誌・蓋	河南洛陽	唐・咸亨三年（六七二）	四神	腰	全背	なし	循環（6時）	歩行型

孫信墓誌・蓋	河北永年	唐・咸亨四年(六七三)	四神	頸・腰	なし		循環(**12時**)	静止型
安元寿夫人翟氏墓誌・蓋	陝西礼泉	唐・光宅元年(六八四)	四神	不明	なし		循環(6時)	飛翔型
郭善摩墓誌・蓋	河北南和	唐・垂拱四年(六八八)	四神	頸・腰	全背	なし	並行(**12時**)	静止型
淳于武斌及夫人左氏墓誌・蓋	河南洛陽	唐・延載元年(六九四)	四神	なし	全背	なし	循環(**3時**)	飛翔型
李巘墓誌・蓋	河南鄭州	周・證聖元年(六九五)	四神	なし	全背	なし	並行(**12時**)	歩行型
陽玄基墓誌・蓋	河南洛陽	周・長安三年(七〇三)	四神	腰	背	なし	並行(6時)	飛翔型
李魏相墓誌・蓋	河南偃師	唐・開元二年(七一四)	四神	腰	背	なし	並行(6時)	飛翔型
來景暉墓誌・蓋	河南偃師	唐・開元五年(七一七)	四神	なし	背	なし	並行(6時)	飛翔型
李瑋墓誌・蓋	河南洛陽	唐・開元六年(七一八)	四神	腰	なし	なし	循環(**12時**)	歩行型
胡勖墓誌・蓋	河南洛陽	唐・開元八年(七二〇)	四神	なし	全背	横帯	並行(6時)	歩行型／**肢間**
馮君衡墓誌・蓋	陝西西安	唐・開元十七年(七二九)	四神	不明	なし	不明	並行(6時)	歩行型／**からむ**
蕭元祚墓誌・蓋	河南洛陽	唐・開元二十三年(七三五)	四神	なし	なし	なし	並行(6時)	歩行型／**からむ**
柳澤墓誌・蓋	河南洛陽	唐・開元二十四年(七三六)	四神	なし	全背	**第1類型**	並行(**12時**)	歩行型／**からむ**
李忠及妻陳氏墓誌・蓋	山西襄垣	唐・開元二十四年(七三六)	四神	なし	なし	なし	並行(**12時**)	異形
李景由墓誌・蓋	河南偃師	唐・開元二十六年(七三八)	四神	頸・腰	全背	**第1類型**	循環(**12時**)	招き型／**肢間**
李憲墓石門・門楣	陝西蒲城	唐・開元二十九年(七四一)	双龍	頸・腰	全背	なし	対向・見返り	招き型／**からむ**
張景尚墓誌・蓋	河南洛陽	唐・開元二十九年(七四一)	四神	頸	全背	**第1類型**	並行(**12時**)	飛翔型／**からむ**
豆廬建墓誌・蓋	陝西咸陽	唐・天宝三年(七四四)	四神	頸	全背	**第1類型**	並行(不明)	飛翔型／**肢間**
史思禮墓誌・蓋	陝西西安	唐・天宝三年(七四四)	四神	なし	全背	なし	並行(6時)・見返り	招き型
張去奢墓誌・蓋	陝西咸陽	唐・天宝六年(七四七)	四神	頸	全背	**第1類型**	並行(6時)	飛翔型
張去逸墓誌・蓋	陝西咸陽	唐・天宝七年(七四八)	四神	頸	全背	**第1類型**	並行(6時)	飛翔型／**からむ**
杜暄墓誌・蓋	河南洛陽	唐・天宝十年(七五一)	四神	なし	なし	なし	並行(**9時**)	飛翔型
張登山墓誌・蓋	陝西	唐・天宝十四年(七五五)	四神	頸	全背	**第1類型**	並行(不明)	飛翔型／**からむ**
高元珪墓誌・蓋	陝西西安	唐・天宝十四年(七五五)	四神	頸	全背	**第1類型**	並行(6時)	飛翔型／**肢間**

作品であるのにたいして、南朝のものは斉の建武元年（四九四）以前であるので、南朝がさきで北朝へは南朝の影響がおよんだととらえたが（「南朝帝陵の石獣と磚画」『東方学報』京都六十三）、いかがなものであろう。

青龍・白虎の配置

高松塚古墳とキトラ古墳の壁画四神は、同じ下絵にもとづくと誰もが指摘するようにそっくりだ。ただし、まったく同じというわけではなく、大きさがわずかにちがうし、なにより白虎のむきが異なるのだ。高松塚では、東壁の青龍と西壁の白虎が開口部のある南にむかっているのにたいして、キトラでは、青龍は同様だが、白虎は北向きに描かれている。この点については多くの研究者が気づいていたところであるが、加藤真二は高松塚の配置を「並行」、キトラの方を「循環」と名づけて中国の図像資料を集成、検討した（『キトラ四神古墳壁画四神―青龍白虎―』飛鳥資料館図録五〇冊）。

墓誌をどのようなむきでどこに置くか、四神などの装飾をどのように配置するかについては菅谷文則（すがやふみのり）がつとに検討したところで、菅谷は墓主人の側からみるという原則があったことに気づいた（「墓誌装飾―四神と十二生肖―」『有光教一先生白寿記念論叢』高麗美術館研究紀要五号）。すなわち墓誌の手前が北をむくように置くので、玄武が六時の位置にくることになるのだ。

〔壁画と石棺〕　中国の墓は、南北朝以降、原則的に南に向かって開口する。したがって、墓室奥壁が北となる。中国にならった飛鳥王陵も同じで、キトラ・高松塚両古墳の石槨も南に開口する。

青龍・白虎は墓道の入口ちかくに外へ出るように描かれるから、東壁の青龍は右むき、西壁の白虎は左むきとなる。すなわち並行型である。

墓室内部の四壁に四神を描くようになると、奥の北壁に玄武、東壁に青龍、西壁に白虎を配するのがふつう。ただ、南には墓門がひらくから表現の場が制限された。覆斗（ふくと）形の天井のばあい、四神はその斜面部分に描いた。つまり墓門より上部の位置であり、天空と地上のあいだということになる。四壁に表現する時には、並行型と循環型の両様があり得るが、圧倒的に並行型が多い。

石棺のばあいも同様で、青龍・白虎は左右両帮（側板）の外面にあらわされるのであるが、頭位を南むきにするから、壁画のばあいとはむきが逆になる。並行型である。前擋（小口）に朱雀、後擋に玄武を配する。

〔墓　誌〕　墓誌は、甬道（ようどう）の墓室寄り（墓門のすぐ外）かあるいは墓室内部に、菅谷があきらかにしたように、内側からみるように文字頭を南にして置かれる。四神は蓋題記の周りか四面ある斜殺にそれぞれ一神ずつ彫刻される。手前（すなわち六時の位置）に玄武を置き、左に青龍、むこうがわ（十二時）に朱雀、そして右に白虎というように時計回りに四神を配するのがふつうである。だとすると循環型が多いようにおもえるが、実際には、龍虎がともに南（十二時の方向）をむく並行型の方が圧倒的に多い。

中には玄武を六時の位置に配する原則からはずれたものもある。それらを列挙すると、

①十二時…王伯(おうはく)墓誌、元恩(げんおん)墓誌、李瓛(りけん)墓誌、柳澤(りゅうたく)墓誌、張景尚(ちょうけいしょう)墓誌

②三時　…淳于武斌(じゅんうぶひん)及夫人左氏墓誌

③九時　…段倹(だんけん)妻李弟墓誌

などである。蓋だけで、誌側の例はない。いずれも河南省に所在する墓である。

ところで、北を象徴するはずの玄武をなぜ南にもってきたのであろうか。菅谷は、先述のように、墓主人の側すなわち北からみるのであれば、これが順当であると考えた。ズレたのは、墓の入口や甬道に墓主人へむけて置くのではなく、遺骸の頭部や脇に置くためであった可能性があるが、原位置がわからないので検証できない。

〔キトラ・高松塚の四神図像〕　キトラのばあいは、石槨の入口を閉じ、その閉塞石に朱雀と十二支を描いたから、制限はなかった。循環型である。高松塚では南壁に壁画がのこっていなかったので、四神の全体像はわからないが、青龍・白虎は並行型である。同じ粉本をもとに描いたのだとしたら、どうしてこのような差異が生じたのだろうか。

青龍・白虎の姿勢

高松塚・キトラの青龍・白虎が「静止型」であることをはじめて指摘したのは今尾文昭である。「激しい動きを急に止めたか、または、これから動くための力を全身にためようとしているのか。とにかく静的な状態に見える」と記している（「高松塚古墳四神をめぐる動静―中国・朝鮮の壁画墓から感じること―」『高句麗の都城遺跡と古墳』同朋舎）。もっとも、相手を威嚇しているようにもおもえるので、「威嚇型」と名づけたほうがよいかもしれない。

高松塚・キトラの青龍・白虎は正面をむいている。これにたいして中国の図像では首を回してうしろをふりむいた「見返り」のポーズをとるものがある。また、龍・虎が単独であらわされる以外に、北朝では四神の背に仙人あるいは墓主人夫婦が乗った「仙人騎龍・騎虎図」が、また南朝では背に羽がはえた人物が芝草や柄香炉をささげる「羽人戯龍・戯虎」が好まれた。仙人騎龍・騎虎のばあいは見返りの姿勢が多く、「昇仙」場面ととらえられるが、朱雀・玄武をともなうので、これも四神図なのである。

〔尾が後肢にからまる（第9図）〕　ところで、高松塚・キトラの青龍・白虎は、ともに尾が股間を通して左右どちらかの後肢にいったんからまり、そのあと上方へと立つ。この点についても、今尾の指摘が早かった。蘇定方墓壁画の白虎について「注目できるのは尾で、下向きに出て後足の股間を通り、左後足を巻き、尾先は下方に垂れる」ところが高松塚のものに近似するとしたのである。このような尾の表現は七〇〇年前後にはなく、多くは尾を後方に長くのばす形で描かれている。ただしまったくないわけではなく、有賀祥隆は蘇定方墓壁画の白虎、馮君衡墓誌蓋の白虎、張去奢墓誌蓋の青龍を例示した（「キトラ古墳壁画の白虎をみるために」『キトラ古墳と発掘された壁画たち』飛鳥資料館）。しかし、蘇定方と馮君衡の白虎の尾は後肢にからむものの、上に跳ねあがってはいないし、張去奢のばあいはあきらかに尾は後肢にからまっていない。

四神の一ではないが、顕慶三年（六五八）の尉遅敬徳墓誌側十二支の辰や正倉院中倉の

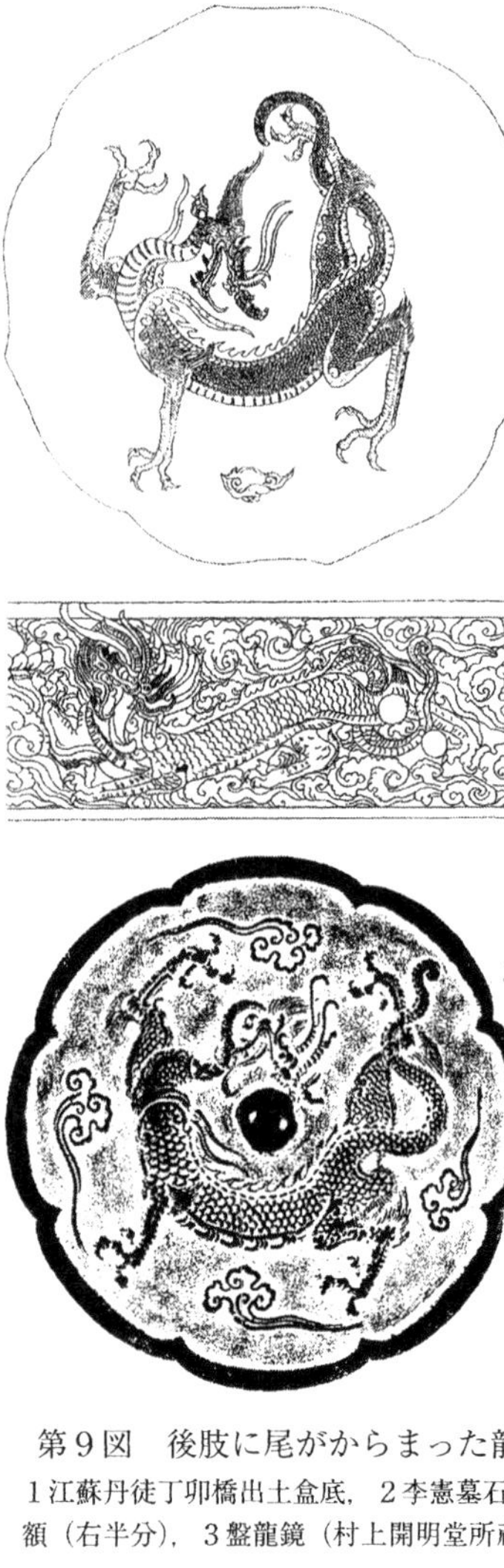

1

2

3

第9図　後肢に尾がからまった龍
1江蘇丹徒丁卯橋出土盒底，2李憲墓石門額（右半分），3盤龍鏡（村上開明堂所蔵）

「十二支彩絵布幕」の辰図でも、尾が左後肢にいったんからまるものの後方へとながれている。後者は左むき、かなり大きく、復原すると二メートルをこえる。先述した正倉院の十二支八卦背円鏡のばあいは、尾が後肢にからまったあと上方へと屈曲している。ほかに類例をもとめると、

王恭（おうきょう）墓誌…永徽五年（六五四）　十二支
史索岩（しさくがん）墓誌…麟徳三年（六六六）　四神
王氏墓誌…開元九年（七二一）　四神
楊執一（ようしゅういつ）妻独孤氏墓誌…開元十五年（七二七）　十二支
李憲墓石門門額の双龍…開元二十九年（七四一）　対龍
江蘇省丹徒丁卯橋出土の「龍紋残盒（ざんごう）」底　行龍

などがあげられ、どうも十二支像の辰かあるいは単独の龍図のばあいにからむものがおおい傾向があるようだ。李憲墓門額の龍は見返りの姿勢ではあるが、静止型。片手をあげているので招き型ともとれる。

後肢に尾がからまるが上に跳ねあがらない例として乾陵無字碑昇龍図があげられるが、これも四神の青龍ではない。

〔青龍の背ビレと火焔宝珠〕　高松塚の青龍には、項（うなじ）と尾のつけ根に炎のような連続三

角形の突起がつく。魚の背鰭（せびれ）と似ているので、仮に「背ビレ」と呼ぶことにしよう。項についたのはあるいはたてがみに相当するのかもしれない。キトラの方はよくわからないが、同様であろう。

中国の墓誌画像においては、四神・十二支ともに、背ビレは背の全体にわたるか、さもなければなしのばあいが多く、項と腰だけに背ビレをつけた例は尉遅敬徳のばあいのみである。

また、背ビレにくわえて火焔宝珠ないし宝珠形をつけたものがある。高松塚・キトラのばあいは、ともにこれを欠く。

斜十字を入れた帯状頸飾

高松塚古墳壁画の青龍は頸に帯のような飾りをつけている。網干善教の表現を借りると、「頸部装飾は青色に着色した龍の頸部に鮮やかな赤色で塗り分け、そのなかに黄色で描いたと思われる複線の×印文様がある。そして上下端には横方向に各一条の帯のようなものがあって仕切られている」。飛鳥資料館の復原によると、キトラの青龍にも同様の頸飾がある（第10図）。

網干はこのような頸部装飾を中国の資料を中心に集成、つぎの三種に分類した（「四神図の頸部装飾とその類型」『関西大学博物館紀要』四）。

第一類型─頸部に×印を描くもの

第10図　×印の頸飾り

1 何家村出土鎏金鳳凰紋六曲銀盤，2 高元珪墓壁画，3 尉遅敬徳墓誌側

第二類型―頸飾を複線斜格子紋で表現するもの
第三類型―輪状の頸飾をはめたもの

である。高松塚の青龍は第一類型にあたるので、ここでは主として第一類型に焦点をあわせる。第二類型は北魏から隋の青龍にみとめられ、古いタイプとおもわれる。また、第三類型は高句麗の壁画にあるという。江西大墓の青龍と朱雀、中墓の朱雀と白虎などである。これは犬の首輪のような幅の狭いものを二、三接してはめたもので、別な原理にもとづくと考えたほうがよい。

〔第一類型〕　網干があげた中国の第一類型は、

吉林省集安四神塚の壁画　青龍（複線）
乾陵無字碑昇龍図　龍（複線）＊
伝長安大明宮出土の石彫龍首　龍（複線）
江蘇省丹徒県丁卯橋出土の龍紋残盒底　龍（複線）＊
銀籌（ぎんちゅう）筒龍文　龍（単線）＊　↓右と同じく丁卯橋出土
墓門の朱雀線刻　鳳凰（複線）　↓楊執一墓石門額（七一六年）
法門寺地宮門楣（まぐさ）の鳳凰文　鳳凰（複線）　↓楣ではなく額である
鳳凰文六弁銀盤　鳳凰（単線）　↓西安何家村出土「鎏金（りゅうきん）鳳凰

西安何家村出土の方盒（ほうごう）　鳳凰（単線）　→報告は「孔雀紋銀方盒」と記す

紋六曲銀盤」

李仁墓の墓門石刻　鳳凰（単線）　→石門額の彫刻、景雲三年（七一〇）

劉士准墓誌　青龍・白虎（複線）＊　→大中四年（八五〇）

蘇思勗墓の壁画　玄武の蛇（複線）　→天宝四年（七四五）

高元珪墓壁画　玄武の蛇（複線）　→天宝十五年（七五六）

などである（→以下は筆者が付加）。「墓門の朱雀線刻」とは楊執一墓のものとおもわれ、とすれば開元四年（七一六）の埋葬である。網干は李仁墓の年代について言及していないが、景雲元年（七一〇）の埋葬であり、高元珪墓は天宝十五年である。また、法門寺地宮門「楣」とは「額」のことである。

網干はさらに別稿を著し、正倉院宝物を中心に頸飾を有する資料を追加した。中国の資料としてつぎの一点がある（「鳥形図の頸部にみえる装飾文様」『古代学研究』一五〇号）。

節愍太子墓甬道壁画　飛鳳（単線・複線）　→景雲元年（七一〇）

正倉院の資料として網干があげたのはつぎの五点。

礼服御冠残欠	鳥（単線）
金銅鳳形裁文	対鳥（単線）
蘇芳（すおう）地金銀絵箱	鳥（不明）→外底面に刻されている
花喰鳥刺繡残欠	孔雀（単線）
紫地鳳形飾御軾（おしきみ）	鳥（不明）

網干の分析によると、この「×印を入れた帯状飾り」は、青龍のみならず、白虎、朱雀、玄武の蛇にも認められ、四神の全般にわたっている。逆に、すべての四神、すべての青龍にともなうものではなく、かならず表現したというわけでもない。

ところで、頸飾の斜十字形には単線表現と複線であらわしたものとがあり、リストには（　）で示した。複線のばあいには、二本の平行線をまじわらせたものと、単線でつくった斜十字のあいだの空間に鋸歯を入れたものとがあり、後者が多い。したがって、この頸部にある意匠はたんなる×印ではなく、装飾の一単位であるので、上下の区画線もふくめて「斜十字形を入れた帯状頸飾」（以下「帯状頸飾」と略す）と呼び、類例をふやしたうえで再検討してみた（龍図像に*を付したのは、後に触れる、後肢に尾がからまるものである）。

〔類例の提示〕　網干があげた資料はほとんどが年代不明のものであった。その理由のひとつとして指摘できるのは、従来の墓誌集成が文字中心で、装飾については小さな扱いであった点である。近年、その流れがあらためられ、誌石と同じ大きさで蓋の拓本を掲載する集成本がふえてきた。たとえば西安では『西安碑林博物館新蔵墓誌彙編〔上・中・下〕』（線装書局）、洛陽では『河洛墓刻拾零』（北京図書館出版社）などがあげられる。これにより紋様研究はおおいに進展するであろうが、あいかわらず蓋を小さく付随的にあつかっている書もすくなくない。

網干の集成に以下をくわえ、考察しよう。

李憲墓墓道壁画　青龍（単線）＊　開元二十九年（七四一）

壁画資料は一例のみである。かなりくだって咸通五年（八六四）の楊玄略墓の朱雀に単線表現のものがある。

墓誌および石門の彫刻のいくつかに帯状頸飾を見いだした。七世紀第Ⅲ四半期のグループ（古群）と開元以降天宝年間グループ（新群）との二群にわかれる。そのあいだに、網干があげた乾陵無字碑の龍と李仁墓の対鳥が入る。

〈古群〉

史索岩夫婦墓石門扉　青龍・白虎（複線）　顕慶三年（六五八）

尉遅敬徳墓誌　十二支辰（複線）＊　顕慶三年

新城長公主墓石門額および扉　対鳥、青龍・白虎（複線）　龍朔三年（六六三）

史訶耽（しかたん）夫婦墓石門額　対鳥（複線）　咸亨元年（六七〇）

〈新群〉

楊執一墓石門額　対鳥（複線）　開元四年（七一六）

蕭元祚（しょうげんそ）墓誌　青龍・白虎（複線）＊　開元二十三年（七三五）

柳澤（りゅうたく）墓誌　朱雀・玄武の蛇（単線）＊　開元二十四年（七三六）

李景由墓誌　青龍・白虎（複線）　開元二十六年（七三八）

李憲墓石門額　対鳥（単線）　開元二十六年

張景尚墓誌　青龍・白虎、玄武の蛇・亀（複線）＊　開元二十九年（七四一）

豆盧建（とうろけん）墓誌　青龍（単線）　天宝三年（七四四）

張去奢墓誌　青龍・白虎（複線）　天宝六年（七四七）

張去逸墓誌　青龍・白虎（複線）＊　天宝七年（七四八）

張登山墓誌　青龍・白虎（複線）＊　天宝七年

高元珪墓誌　青龍（複線）　天宝十四年（七五五）

唐代の墓誌にはもっと多くの例があるが、綱干があげた劉士准墓誌（八五〇年）をふくめ、何撫墓誌（八二三年）・李敬實墓誌（八三三年）・張漸墓誌（八四五年）・孟璲墓誌（八六〇年）などいずれも九世紀にさがるので、本稿では取りあげない。

正倉院宝物には、網干が掲げた諸品のほかに、つぎのものがある。

銀薫炉（北倉一五三）　　透彫の鳥（単線）
鳥獣花背八角鏡　第一号（北倉四二）　対鳥（複線）
鳥花背八角鏡　第三号（北倉四二）　対鳥（複線）
鳥獣花背八角鏡　第十二号（南倉七〇）　双鳥（複線）
盤龍（ばんりゅう）背八角鏡　第十六号（北倉四二）　双龍（複線）

網干があげた諸例をあわせて通観すると、まず開元から天宝年間にかけてのものが圧倒的に多いことに気づく。史索岩墓・尉遅敬徳墓の六五八年、新城長公主墓の六六三年、史訶耽墓の六七〇年の四者だけが抜きんでて古く、節愍太子墓の七一〇年までとぶ。乾陵無字碑も武則天の統治期間（六九五～七〇四年）の造立と考えられるので、そのあいだに入る。帯状頸飾はどのような契機で出現したのであろうか。単線のものはすべて開元以降であり、複線の方が古い傾向がみられる。ここに出現の契機を探る手がかりがあるのではないか。

第二に気づいたのは、龍（青龍）のばあい、ほとんどの帯状頸飾は複線構成であり、しかも尾が後肢にからまるばあいが多い点である。

第三、張景尚墓誌のばあい、青龍・白虎および玄武の蛇だけではなく、亀までもが帯状頸飾をもつ。本例はきわめて異形(いぎょう)の存在で、蛇・亀さらには朱雀の頭部までもが虎によく似ており、朱雀は頡(けつ)の姿勢をとる。この様態は、玄武が十二時の位置にある点もふくめて、柳澤墓誌でもみとめられる。

そして朱雀は、同時代の壁画では正面形が主流であるのにたいして横むきで、いわゆる「頡頏(けっこう)」の姿勢をとる。頡頏は網干善教の造語で、鳥が片足をするどく曲げ、ほかの足で力強く地を蹴る姿勢である（「古墳壁画・墓誌等にみる朱雀・鳳凰の図像」『関西大学博物館紀要』八）。

〔出現の契機―第二類型との関係―〕　斜十字形をいれた帯状頸飾はどのような契機で出現したのであろうか。もともとは頸部の羽毛の生えぐあいのちがいを装飾効果向上のために利用したのであろう。とすれば、第二類型（数本の斜線を交叉させた斜格子紋）に注目する必要がある。第二類型の事例として網干があげたのはつぎの諸例（↓以下は筆者が付加）。

洛陽出土石棺画像　↓洛陽古代芸術館蔵昇仙石棺石帮(ほう)「仙人騎龍」　北魏
北魏墓誌　↓元謐(げんぴつ)墓誌側「仙人騎龍」　北魏
李和墓石棺　↓石棺石帮「仙人騎龍」　隋開皇二年（五八二）
西安何家村出土蔓草龍鳳紋銀碗　↓「葡萄(ぶどう)龍鳳紋銀碗」外底部蟠龍(ばんりゅう)　唐

丹陽建山金家村南朝墓の磚画　↓呉家村墓「仙人騎龍」　南斉
法隆寺の盤龍鏡　↓法隆寺献納宝物（東京国立博物館N七三）
蔓草龍鳳銀碗　↓西安何家村出土「葡萄龍鳳紋銀碗」内底部鳳　唐
鳳凰翼鹿文銀盒

網干は年代については触れていないが、洛陽出土石棺とは洛陽古代芸術館が所蔵する昇仙石棺のことであろう。北魏のものである。右帮に青龍が刻され、頸に第二類型がみとめられる。北魏墓誌とは元謐墓誌のこととおもわれ、とすれば北魏正光五年（五二四）の葬である。李和墓は隋開皇二年（五八二）の葬。

丹陽金家村墓には青龍画像はのこっておらず、これは同じ丹陽の地にある胡橋宝山呉家村墓のことである。呉家村墓は南朝斉の帝陵のひとつであり、墓室東壁の磚画による羽人戯龍図には、頸の二ヵ所に横帯でくぎった区画があり、その内部を交叉する斜線で満たしてある。町田章は和帝蕭宝融恭安陵に比定しており、とすれば五〇二年の埋葬である。河南省鄧県彩色画像磚墓の青龍も同類。北魏の例としては、ほかにミネアポリス美術館が所蔵する元謐石棺（五二四年）などを加えることができるが、いずれも呉家村墓をさかのぼるものではない。南朝生まれの可能性がある。まず第二類型が出現し、これを装飾的にととのえたのが第一類型なのではないか。第二類型の諸例では、尾を後肢にからめず、まっすぐ後方にのばしている。

法隆寺の盤龍鏡とは、法隆寺献納宝物のひとつで、複線の帯状頸飾の下にもうひとつ大きな複線鋸歯紋をくわえてある。第一類型ととらえるべきである。

蔓草龍鳳銀碗とは西安何家村窖蔵の「葡萄龍鳳紋銀碗」のことで、三例前のものと同一物。外底部の蟠龍と内底部の鳳凰の両者が第二類型の頸飾をつけている。ほかに西安郭家灘唐墓出土の金龍などがある。鳳凰翼鹿文銀盒は小さな図が発表されているだけなので、第二類型であるか否か判断できない。

したがって、唐代の第二類型はほんの数例あるに過ぎないのだ。これらは帯状頸飾の上下の横帯を欠く。省略形であろう。いずれにせよ、第二類型は南北朝期に生まれ、唐代までのこったことになる。

〔後肢に尾がからむ〕　帯状頸飾を有する龍虎には尾が後肢にからまるばあいが多い（五六～六〇頁のリストに＊印を付した）。特に龍のばあいはほとんどが尾をからませる。尉遅敬徳墓誌、乾陵無字碑昇龍、江蘇丹徒丁卯橋出土の龍紋残盒底・同鎏金亀負「論語玉燭」銀籌筒の龍紋、蕭元祚墓誌、柳澤墓誌、李憲墓壁画、張景尚墓誌、張去逸墓誌、張登山墓誌などがその例である。尾が後肢にからまる青龍・白虎は全体としてはさほど多くなく、右のほかには馮君衡墓誌や雲龍紋八花鏡の一部が知られるくらいなのである。二種の図像上の特徴にはなんらかの関係があるはずだ。

キトラ・高松塚の青龍はまさにこれらの仲間であって（しかも複線の）、帯状頸飾と後肢に尾をからめるという双方の特徴をあわせもつのだ。とすると、キトラ・高松塚の四神が尉遅敬徳墓のような古群のものにちかいのか、それとも李憲などの新群と関わるのか、を問わなければならない。

かねてから筆者は、中国の壁画や石刻で表現された四神のうち、龍虎の姿勢には歩行型、飛翔型、招き型、遊泳型および静止型があり、唐代の龍虎は基本的に歩行型から飛翔型へ変化したこと、招き型は山西省太原地域、遊泳型は高句麗の壁画に限ってみとめられるいわば地方型であることを主張してきた（一九〜二四頁参照）。いまでは、招き型は静止型の一変形ととらえるほうがよい、との考えに傾きつつあるが、右の分類や変化の方向に誤りはないとおもっている。キトラ・高松塚の青龍・白虎は静止型であり、この点から考えると、帯状頸飾を有する図像のうち古群に属する史索岩・新城長公主の二墓が注目にあたいする。どちらも石の墓門を有するのであるが、左右両扉の縦長な画面を区画して三ないし五の小画面とし、そこに龍・虎や鳥などの画像を納めてある。その龍・虎が静止形なのである。

〔鏡の対鳥紋と龍紋〕　一般に「双鸞（そうらん）八花鏡」（中国では「葵花（きか）鏡」という）と称される鏡

に鋳出された双鳥は帯状頸飾をもつことが多い。正倉院宝物の「鳥花背八角鏡」第三号をはじめ、天理参考館蔵「瑞花双鸞八花鏡」、『中国青銅器全集16　銅鏡』（文物出版社、一九九八年）に掲載された「双鸞葵花鏡」二面（西安および宝鶏出土）、泉屋博古館蔵「双鸞瑞花八花鏡」二面と「双鸞仙岳八花鏡」、京都国立博物館蔵「双鸞駱駝八花鏡」、泉屋博古館蔵「貼銀鍍金双鸞走獣八花鏡」、五島美術館蔵「貼銀鍍金双鸞走獣八花鏡」などで、盛唐の作とされる。

　これらはいずれも立位の横むきの鳥で、一方の足を地につけ、他方の脚をくの字状にゆるく曲げて地面を掻いているようにみえる。口に布帯あるいは唐草様のものを銜える、いわゆる含綬鳥の仲間である。

　ほかに黒川古文化研究所蔵「伯牙弾琴八花鏡」の鳥にもみとめられるが、これは両足を地につけている。中唐の作。銘文があり、この鳥が鳳であることがわかる。右の対鳥は伝統的に鸞とされてきたが、鳳凰とみなしてよさそうだ。

　正倉院「槃龍背八角鏡」の双龍が帯状頸飾を有していたが、盤龍鏡にも同様のものがある。たとえば李景由夫婦墓から出土した「葵花形雲龍鏡」、千石唯司蔵「蟠龍紋鏡」のほか、劉國人『中華龍紋鏡』（黒竜江人民出版社）所載の「鎏金葵花雲龍紋鏡」「葵花雲龍紋鏡」、陝西歴史博物館蔵「雲龍紋鏡」、遼寧省丹東市で発見された「単龍鏡」、あるいは上海博物館『練形神冶　瑩質良工』（上海書画出版社）にのる「蟠龍紋葵花鏡」などである。いずれも盛唐から中唐のものとされる。李景由夫婦墓出土品を除き、すべて後肢に尾がからんでいる。

李景由夫婦は開元二十六年に合葬（がっそう）されており、本墓から出土した葵花形雲龍鏡は、葵花形（八花）鏡としては最古のものである（秋山進午「隋唐式鏡綜論」『泉屋博古館紀要』十二）。帯状頸飾は複線の仲間であるが、斜十字で作った×の四区画に三重の鋸歯をはめこんである。法隆寺献納宝物のひとつである「盤龍鏡」は、龍のむきがことなり尾が後肢にからむが、これによく似ており、同じ複雑な帯状頸飾を二段まわしてある。

正倉院宝物鏡をふくめ、ほとんどの雲龍紋・盤龍紋タイプの帯状頸飾は複線構成であり、鏡には古い要素が後世までのこったことになる。

キトラ・高松塚古墳壁画の青龍は、帯状頸飾、しかも複線のそれを有し、尾が後肢にからむという特徴をあわせもつ。しかも姿勢は静止形なのだ。中国においてこのような例は、鏡をのぞくと、七世紀第Ⅲ四半期の石刻画像にかぎってみられる。新城長公主墓と尉遅敬徳墓である。

かつて「キトラ・高松塚古墳の四神図をめぐって」（『郵政考古紀要』四十四号）という論文で、青龍・白虎の四肢の指について、つぎのような内容を記した。

足指の本数と爪の色

キトラ・高松塚の四神のうち、朱雀以外の三神はいずれも足指が三本で、猛禽のようなするどい爪をもつ。北魏から隋まで、畏獣の手指は三本、足指は二本という原則が貫徹されている。四神にも四肢の指は三本というイコノグラフィーが存在したのであろう。北朝の石刻や南朝の磚画の青龍・白虎はみな四肢の指が三本であり、唐代壁画においても、七〇六年の懿徳太子墓などその例外ではない。初唐になると畏獣を表現すること自体が減少し、七〇〇年前後にはもはや畏獣は忘れ去られようとしている。開元年間になると四神図像にもその影響がおよび、イコノグラフィーがくずれていったとおもわれる。七二〇年の薛儆墓誌では青龍は三本指だが白虎の指は四本となり、七四一年の李憲墓では青龍・白虎とも四本指なのである。

これを読んだ飛鳥資料館の加藤真二がキトラ・高松塚の青龍・白虎図をみなおしたところ、つぎのような新事実があきらかとなった（『奈文研ニュース』二〇〇九年三月）。

（前略）キトラ白虎をよく観察したところ、なんと、右側の前・後肢は3本指、左側のものは4本指であることが判明しました。あわてて、高松塚の青龍・白虎をみたところ、青龍の左前肢に爪を表現する4つの赤い点を確認でき、他はいずれも3本でした。さらに類例を探したところ、平城薬師寺の本尊薬師如来台座の青龍もキトラ白虎同様、体側で指の本数が異なることがわかりました。

そこで、高松塚については文化庁監修『国宝 高松塚古墳壁画』（中央公論美術出版）、キトラについては飛鳥資料館編『キトラ古墳と発掘された壁画たち』（飛鳥資料館図録四十五冊）のカラー写真を注視してみたところ、加藤の指摘どおりであった。ちょうど開催中であったキトラ壁画展で実物にお目にかかり、右の事実を追認した。また、高松塚青龍の四肢の爪が赤く塗られていることも、加藤の文章を読んではじめて気づいた。この見方を採用すると、高松塚白虎の右前肢も四本指である。薬師寺薬師如来像台座においては、青龍の右前肢・後肢のみが四本指である（『薬師寺 白鳳再建への道』薬師寺）。

前稿は高松塚・キトラの青龍・白虎の四肢の指が三本であることを前提として書いたので、訂正しなければならない。中国における四本指の資料を探索した結果つぎのような点があきらかとなった。

〔同時代の資料〕　高松塚・キトラと同時期あるいはやや遅れてあらわれた、指が四本ある青龍・白虎はさほど多くない。

乾陵翼馬台座（けんりょうよくば）　高宗埋葬（六八四年）の前後

乾陵無字碑　　武則天末年（七〇五）の前後
薛儆（せっけい）墓誌蓋　開元八年（七二〇）
李憲（りけん）墓壁画　開元二十九年（七四一）
張去奢（ちょうきょしゃ）墓誌蓋　天宝六年（七四七）

まず乾陵翼馬の台座側面に彫刻された「行龍図」であるが、横二五四チセン、縦六三チセンの横長画面に右むきに表現してある。左側の両肢をまえに、右側をうしろにのばした歩行型で、見返りの姿勢をとる。左前肢と右後肢が四本指である。

乾陵無字碑の石刻画像は、縦四一二チセン、幅一一九チセンの巨大な画面一杯に「昇龍図」をあらわしたもので、当然、縦位置の画面である。龍は体をS字状にくねらせ、クロールで泳いでいて息つぎするように、顔を左後方にむけている。左後肢の指だけが四本、ほかは三本である。

薛儆墓は、山西省の西南部、万栄県皇甫村で一九九五年に発掘された。石槨を葬具とする特異な磚築墓である。墓誌蓋に四神が彫刻されており、そのうち白虎の左右前肢が四本指である。

李憲墓は、陝西省蒲城県三合村で二〇〇〇年から二〇〇一年にかけて発掘された。李憲は睿宗（えいそう）の長子、すなわち玄宗の兄である。六十三歳にして病没、死後皇帝としての待遇を

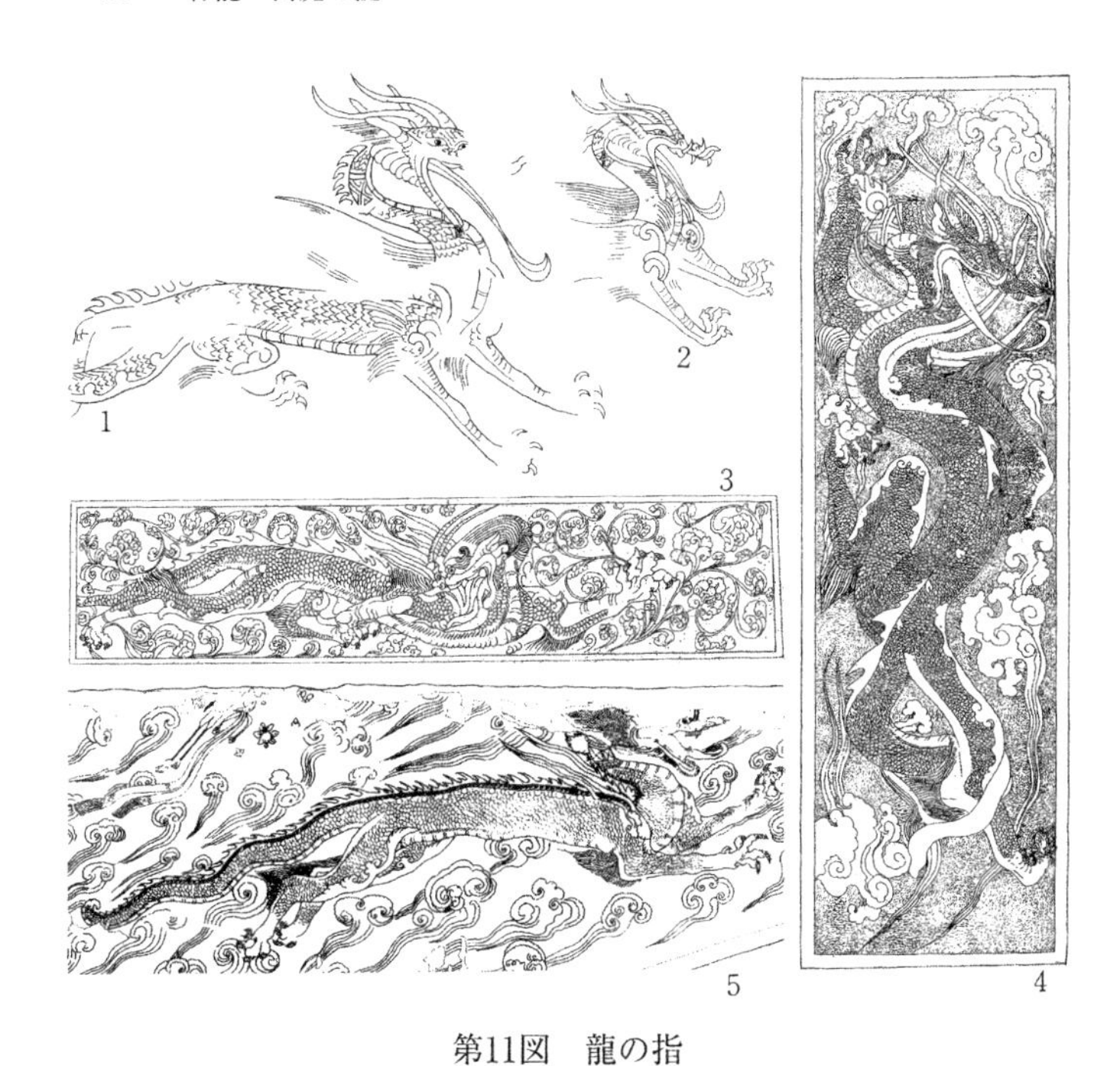

第11図　龍の指

1高松塚（山本忠尚作図），2キトラ（山本忠尚作図），3乾陵翼馬，4乾陵無字碑，5李憲墓壁画

受け、「譲皇帝」と追諡、妻の恭皇后と合葬された。墓は睿宗の橋陵の近くにつくられ、「恵陵」と呼ばれる。石槨を葬具とし、墓道と墓室内に壁画が描かれ、墓誌ではなく玉冊がおさめてあった。青龍・白虎は墓道の入口付近、東西両壁に描かれており、遺存状態が良好である。前肢を前にそろえてつき出し、後肢をうしろにのばした「飛翔型」。青龍の四肢、白虎の左前肢・後肢が四本指である。

　張去奢墓は陝西省咸陽に所在、底張湾三十三号墓と呼ばれる。一九五三年に発掘され、墓道の東西壁に各々七メートルをこえる龍・虎図が遺存していたという。白虎の左右前肢が四本指である。

〔南朝の資料〕　問題意識をもって探してみると、南北朝期にも見落としていたものが結構あった。南北双方にあり、しかも五本指ま

は有るけれど本数不明）

白　虎				年　代
左前肢	右前肢	左後肢	右後肢	
3（甲）	5（掌）	———	3（甲）	南斉（493ころ）
3（甲）	5（掌）	3（甲）	3（甲）	南斉（495ころ）
5（掌）	3（甲）	5（甲）	⑤（掌）	北魏
4（掌）	3（甲）	———	3（甲）	北魏
———	———	———	———	北魏正光3年（522）
4（甲）	4（甲）	4（甲）	4（？）	北魏正光5年（524）
4（甲）	3（甲）	？	2（甲）	北魏正光5年（524）
3（甲）	3（甲）	？	4（甲）	隋？
———	———	———	———	唐（684ころ）
———	———	———	———	唐（705ころ）
4（掌）	4（甲）	？	？	唐開元8年（720）
4（甲）	———	4（甲）	？	唐開元29年（741）
4（掌）	4（甲）	？	？	天寶6年（747）
3（甲）	4（掌）	3（甲）	3（甲）	
4（掌）	3（甲）	4（甲）	3（甲）	
3（甲）	3（甲）	3（甲）	3（甲）	

第２表　４本指・５本指の青龍・白虎（―は無いか欠損している，？

名称(出土地・所在)	青龍			
	左前肢	右前肢	左後肢	右後肢
仙塘湾墓磚画(江蘇丹陽)	――	――	――	――
金家村墓磚画(江蘇丹陽)	――	――	――	――
神獣石棺(洛陽古代芸術館)	5(掌)	5(甲)	4(甲)	4(甲)
騎龍騎虎石棺(洛陽邙山・洛陽古代芸術館)	3(甲)	――	4(掌)	4(甲)
馮邕妻元氏墓誌蓋(洛陽・ボストン美術館)	――	3	4(甲)	5(甲)
元謐墓誌蓋(洛陽・所在不明)	――	4	4(甲)	4(甲)
元昭墓誌蓋(洛陽・所在不明)	3(甲)	3(甲)	3(甲)	3(甲)
四神石棺(出土地・所在不明)	3(甲)	3(甲)	3(甲)	3(甲)
乾陵翼馬石刻	4(甲)	3(甲)	――	4(甲)
乾陵無字碑石刻	3(甲)	3(甲)	4(掌)	3(甲)
薛儆墓誌蓋(山西万栄県)	3(甲)	3(甲)	3(甲)	3(甲)
李憲墓壁画(陝西蒲城県)	4(掌)	4(甲)	4(甲)	4(甲)
張去奢墓誌蓋(陝西咸陽)	?	?	?	?
高松塚壁画	4(掌)	3(甲)	3(?)	――
キトラ壁画	3(掌)	3(甲)	――	――
薬師寺薬師如来台座	3(甲)	4(甲)	3(甲)	4(甲)

で存在するのである。

まず、南朝の例を取りあげる。

江蘇省丹陽市胡橋仙塘湾墓磚画　南斉永明十一年（四九三）ごろ

江蘇省丹陽市建山金家村墓磚画　南斉建武元年（四九四）ごろ

両墓は南斉の帝陵で、町田章「南斉帝陵考」（前掲）はそれぞれを武帝景安陵と景帝修安陵に比定する。墓室は磚築で、その四壁を型にいれてつくった磚を組みあわせた磚画でかざってある。「竹林七賢図」「門衛武士図」「獅子図」などとともに、東壁に「羽人戯龍図」が、西壁に「羽人戯虎図」があらわされている。青龍・白虎は歩行型。青龍の左右前肢が四本指、白虎の右前肢がなんと五本指である。

両墓のちかく、胡橋呉家村でも同様の磚画を有する墓がみつかり、このばあいは青龍・白虎ともすべての肢は三本指である。町田は本墓を前二者よりわずかに年代がさがる和帝恭安陵とみる。四～五本あった指の本数がへったことになる。

〔北朝の資料〕北朝では石棺と墓誌に彫刻した龍虎に四本指のものが存在する。

神獣石棺（洛陽古代芸術館蔵）　北魏
騎龍騎虎石棺（洛陽邙山・洛陽古代芸術館蔵）　北魏
馮邕妻元氏墓誌蓋　北魏正光三年（五二二）
元謐墓誌蓋（洛陽・所在不明）　北魏正光五年（五二四）
元昭墓誌蓋（洛陽）　北魏正光五年
四神石棺（在アメリカ）　隋

洛陽古代芸術館が所蔵する神獣石棺の画像は、画面を亀甲繋でみたし、亀甲内部にいろいろな神獣をおさめる。左右両帮の亀甲繋をおおうように青龍・白虎を彫り、後擋の一亀甲内に玄武をおさめてある。青龍・白虎は歩行型。青龍の左右前肢と白虎の左前肢・左右後肢が五本指、青龍の左右後肢が四本指である。

第12図　虎の指（山本忠尚作図）

1高松塚，2キトラ，3薛儆墓誌，4李憲墓壁画，5金家村墓磚画，6騎龍騎虎石棺，7神獣石棺

おなじ洛陽古代芸術館が所蔵する騎龍騎虎石棺は、河南省洛陽市の北、邙山上窖村で出土した。左右の幇に仙人騎龍図と仙人騎虎図が彫刻されている。見返りの姿勢をとる。このうち青龍の左右後肢、白虎の左前肢が四本指。棺底の前後にも青龍・白虎がむきあった場面があらわされているが、こちらはいずれも三本指である。

馮邕妻元氏墓誌蓋は、洛陽出土と伝えられ、現在ボストン美術館が所蔵する。中央の蓮華紋のまわりを一頭の円環状にからまった龍がかこみ、四方に畏獣を配してある。

元謐墓誌蓋も洛陽出土と伝えられ、墓誌側に仙人が駕した四神、蓋に龍虎と二羽の鳥を刻してある。中央に蓮華紋があり、左に龍、右に虎が背を内湾するようにしてむきあう。蓋の龍虎のうち、龍の左前肢は体にかくれて見えないが、ほかの七本の肢はすべて四本指である。

元昭墓誌蓋も洛陽出土で、龍虎がむきあうのは元謐とおなじだが、あいだに鳥はおらず、下方や左右に畏獣がいる。白虎の左前肢が指四本。

アメリカの某博物館が所蔵している四神石棺は線刻で四神をあらわしたもので、北魏とされるが、隋までくだるであろう。龍が招き型であるのにたいして、虎は静止型であり、高松塚・キトラの白虎に似る。白虎の右後肢が四本指である。

〔掌か甲か〕　青龍・白虎は、南北朝～初唐まで原則として指三本なのであるが、その原則から逸脱したものが十指にあまるほど存在するのであった（第2表・第12図）。

南斉と北魏に約三分の二、唐代に三分の一、という割合で存在し、南北朝後半から唐初期のあいだにはみとめられない。青龍・白虎の双方にあり、両者のあいだに特に差異は見いだせない。五本指が存在するのは南斉と北魏のばあいだけで、唐代にはない。これは異例中の異例なのであろう。また、南北でちがいがあるようにはおもえない。また、総数がすくないので比較するのは危険だが、西安地区では乾陵と李憲墓にあるのみで、他は洛陽、山西、南朝とばらける。

なぜ原則を守らずに、四本指・五本指に表現したのだろうか。足裏すなわち「掌」をみせているか、足表すなわち「甲」をみせているか、によって四本指と三本指とを描きわけている例が南北朝にも唐代にも存在する。虎のばあいは、実在の虎を観察して写実的に表現すれば、掌側は五本指、甲側は四本指となるのが自然であろう。掌四本・甲三本もこの延長上で解釈できよう。高松塚・キトラはこの仲間なのである。

しかし、龍のばあいに存在する甲側なのに五本という例については、なぜなのかうまく説明できない。むしろ、指四本あるいは五本の龍虎が、南朝では南斉、北朝では北魏洛陽期（孝文帝が平城から洛陽へ遷都したあと）にかぎってみとめられる点に注目したい。四九三年から五二四年のあいだだけに存在するのである。その後は、唐第一期に乾陵にかかわる二例と、開元年間以降唐第二期に数例があるだけなのだ。五世紀末～六世紀初頭にはまだ青龍・白虎のイコノグラフィーは定まっておらず、唐第二期になると早くもくずれはじめた、と理解したい。いずれにしても、四本指・五本指はきわめて異例の存在なのだ。

以上のように争点はふえたが、キトラ・高松塚の四神は古い粉本によったもので、それらを巧みにアレンジしている、とした結論は前稿とかわらない。なお、高句麗壁画もみなおしてみたが、わかるかぎりすべて指は三本であった。

玄武の謎

玄武の分類研究

玄武については網干善教（『壁画古墳の研究』学生社）と加藤真一（『キトラ古墳壁画四神─玄武─』飛鳥資料館）が総合的に分析しているので、まず彼らの考えを繙(ひもと)いてみよう。玄武があらわされているのは、壁画、墓誌、石棺および画像磚(せん)などである。

〔網干説〕　網干は、まず蛇が亀の甲羅(こうら)にからまることを前提に、亀と蛇の顔の位置によって、

第一類型─亀と蛇が亀前でにらみあうもの
第二類型─亀と蛇が亀の甲羅の上でにらみあうもの
第三類型─きわめて特殊な表現であるもの

に大別した。さらにからみ方によって、

第一類型をA式—甲羅に一重にからむもの、B式—甲羅に二重以上からむもの

第二類型をA式—甲羅にからむばあい一重で、蛇身が「8」の字状にからみ、複雑であるもの、B式—甲羅にからむばあい一重で、蛇身にからみがあるもの、C式—甲羅にからむばあい二重以上であるもの

に細分した。この分類によると、キトラ・高松塚の玄武は第二類型B式に属することになるが、唐墓壁画や墓誌の大部分は第二類型C式であって、両者に図像上のつながりはないことになる。なお、「からむ」という表現は適当でない。あきらかに巻きついているのだ。

〔加藤説〕　加藤はすべての表現媒体を対象に玄武を四類に大別した。

0類は亀単体のもの

Ⅰ類は蛇が亀に巻きつき、蛇体が亀の甲羅の上方で円環を描くもの

Ⅱ類は蛇が亀に巻きつくものの、蛇体が亀の甲羅の上方で円環を描かないもの

Ⅲ類は蛇が亀に巻きつかないもの（交叉するだけ）

である。そのうちの0類と、Ⅲ類とは、本稿とはかかわらないので割愛し、Ⅰ・Ⅱ類のみを対象とする。加藤はⅠ類・Ⅱ類を亀と蛇が同方向か逆方向かでA・Bの亜類にわけ、亜類をさらに数種にわけた。

そのうえで加藤は、隋・唐の玄武を集成し、つぎのような傾向をとらえた。

七世紀中葉以前―ⅠA３類を中心とするⅠA類

七世紀中葉～八世紀中葉―Ⅱ類（七世紀中葉～八世紀初頭、両京地区での玄武の減少）

八世紀中葉以降―ⅠA２類・ⅠA３類

高松塚・キトラの玄武はⅠA３類に属する。このⅠA３類は隋代に出現し、寧夏固原の史射勿墓誌（六一〇年）、洛陽石棺などにみえる。とすれば、七世紀中葉以前のものと同類となる。唐代に入ると、墓誌の線刻に数例散見されるが、Ⅱ類にくらべすくない。似た図柄のⅠA２類は、隋代の四神十二生肖鏡および唐はじめの蘇永安墓（六二五年）・李立言墓（六三一年）出土の墓誌にみえ、百年以上の空白期間をへたのち、唐代ではようやく蘇思勗墓（七四五年）においてあらわれ、高元珪墓（七五六年）、葦氏墓（七八〇年ごろ）へとつづく。

加藤分類の方が時期と対応しており、実情にあっているとおもわれるが、さらに高松塚・キトラの玄武には、網干・加藤の分類では指標になっていない図像上の特徴がある。亀の体に蛇が何回巻きついているか、亀蛇の口がひらいているか、とじているか、そして後述する足指三本という点である。

第3表　玄武図像一覧（蛇のからみ方がわかるもののみ）

墓名・位置	出土地	年代	加藤分類	蛇	位置／亀の向き	甲羅の縁
畜牧場二十七大隊墓・画像磚	江蘇鎮江	東晋	ⅠA2類	**一重**	不明／**右**	鋸歯
鄧県画像磚	河南鄧県	東晋～南梁	ⅠA3類	二重	後壁／左	複線鋸歯
元暉・墓誌側	河南洛陽	北魏神亀二年（五一九）	ⅠA1類	二重	6時／左右	
爾朱襲・墓誌蓋	河南洛陽	北魏永安二年（五二九）	ⅠA1類	二重	6時／	
爾朱紹・墓誌蓋	河南洛陽	北魏永安二年（五二九）	ⅠA1類	二重	6時／左	蓮弁状
元恩・墓誌蓋	河南洛陽	北魏永安二年（五二九）	不明	**一重**	**12時**／左	
元天穆・墓誌蓋	河南洛陽	北魏普寧元年（五三一）	ⅠA1類	二重	6時／左	
独孤羅・墓誌蓋	陝西咸陽	隋開皇二十年（六〇〇）	ⅡB類	三重	6時／左	四角
王伯・墓誌蓋	河南洛陽	隋大業五年（六〇九）	ⅡA1類	三重	**12時**／左	なし
史射勿・墓誌蓋	寧夏固原	隋大業六年（六一〇）	ⅠA3類	二重	6時／左	二重線
張寿・墓誌蓋	不明	隋業十一年（六一五）	ⅠBZ類	三重	6時／左	
李寿墓・石槨	陝西三原	唐貞観五年（六三一）	ⅡB類	二重	後壁中央	二重線
王宣・墓誌蓋	陝西	唐貞観十四年（六四〇）	ⅡB類	二重	6時／**右**	四角
独孤開遠・墓誌蓋	陝西咸陽	唐貞観十六年（六四二）	ⅠA2類	**一重**	不明／左	不明
長孫君妻段簡璧・墓誌蓋	陝西礼泉	唐永徽二年（六五一）	ⅡB類	二重	6時／**右**	四角
定襄県主李氏・墓誌蓋	陝西礼泉	唐永徽四年（六五三）	ⅠA3類	二重	6時／左	二重線
李玄済・墓誌蓋	陝西西安	唐永徽五年（六五四）	ⅡB類	**一重**	6時／左	なし
虢国夫人岐氏・墓誌蓋	陝西礼泉	唐顕慶二年（六五七）	ⅡB類	二重	6時／左	二重線
史索岩・墓誌蓋	寧夏固原	唐麟徳元年（六六四）	ⅡB類	**一重**	6時／左	二重線
段倹妻李弟・墓誌蓋	河南洛陽	唐乾封二年（六六七）	ⅠA3類	**一重**	**9時**／左	なし
李氏・墓誌蓋	河南洛陽	唐総章二年（六六九）	ⅠB2類	四重	6時／左	

王師・墓誌蓋	河南洛陽	唐咸亨三年(六七二)	ⅡB類	二重	6時／左	なし
淳于武斌及夫人左氏・墓誌蓋	河南洛陽	周延載元年(六九四)	ⅡB類	二重	**3時**／左	なし
李瓛・墓誌蓋	河南鄭州	周證聖元年(六九五)	ⅡB類	三重	**12時**／左	
金勝村七号墓・壁画	山西太原	高宗～武則天期	ⅡB類	**一重**	北壁／左	
陽玄基・墓誌蓋	河南洛陽	唐長安三年(七〇三)	ⅠB2類	**一重**	6時／左	四角
李魏相・墓誌蓋	河南偃師	唐開元二年(七一四)	ⅡB類	**一重**	6時／左	鋸歯
来景暉・墓誌蓋	河南	唐開元五年(七一七)	ⅡB類	二重	6時／左	二重線
胡勖・墓誌蓋	河南洛陽	唐開元八年(七二〇)	ⅠA2類	二重	6時／左	二重線
薛儆・墓誌	山西万栄	唐開元十一年(七二三)	ⅠA3類	三重	6時／左	四角
劉惟正・墓誌蓋	陝西西安	唐開元十二年(七二四)	ⅡB類	三重	6時／左	
馮君衡・墓誌蓋	陝西西安	唐開元十七年(七二九)	ⅡA類	三重	6時／左	
温神智・壁画	山西太原	唐開元十八年(七三〇)	ⅡB類	二重	北壁／左	
蕭元祚・墓誌蓋	河南洛陽	唐開元二十三年(七三五)	ⅠA類	二重	6時／左	四角
柳澤・墓誌蓋	河南洛陽	唐開元二十四年(七三六)	ⅡB類	三重	**12時**／左	不明
李忠及妻陳氏・墓誌蓋	山西襄垣	唐開元二十四年(七三六)	ⅡB類	二重	**12時**／左	
李景由・墓誌蓋	河南偃師	唐開元二十六年(七三八)	ⅠB3類	**一重**	**12時**／左	なし
張景尚・墓誌蓋	河南洛陽	唐開元二十九年(七四一)	ⅡB類	二重	**12時**／左	不明
史思禮・墓誌蓋	陝西西安	唐天宝三年(七四四)	ⅠB1類	二重	6時／左	二重線
豆盧建・墓誌蓋	陝西咸陽	唐天宝三年(七四四)	ⅠA3類	二重	不明／**右**	二重線
蘇思勗・壁画	陝西西安	唐天宝四年(七四五)	ⅠA2類	三重	北壁	二重線
張去奢・墓誌蓋	陝西咸陽	唐天宝六年(七四七)	ⅠA3類	三重	6時／左	四角
張去逸・墓誌蓋	陝西咸陽	唐天宝七年(七四八)	ⅠA2類	二重	6時／左	四角
高元珪・壁画	陝西西安	唐天宝十五年(七五六)	ⅠA2類	三重	北壁	二重線
韋氏・壁画	陝西西安	中唐初期	ⅠA3類	三重	北壁	二重線

渡辺明義「画題とその意味」は高松塚の玄武についてつぎの特徴を抽出した（『高松塚古墳』日本の美術第二一七号）。これはキトラの玄武にもあてはまる。

玄武の表現法

①甲羅の外縁に四角の紋様が連続する
②蛇身自らが円環形を描き、X状の簡単なからみかたである
③亀甲を巻く回数が一回である
わたしはさらにつぎの二特徴をくわえるべきと考える。
④亀・蛇の口がひらいているか、とじているか
⑤亀の足指が三本である
〔亀の体に蛇が何回巻きついているか（第13図）〕　この点については、先述したように網干が言及しているが、亀と蛇がどのようにからみあっているかに重点をおいているので、一重であっても第一類型に属するものと第二類型に分類されるものとが出てしまう。ここでは、唐第一期・第二期の玄武を、亀の体に蛇が何回巻きついているかを重視して、一重、二重および三重以上にわけて、検討してみたい。
〈一重〉　蛇一重の例は山西省太原、甘粛省敦煌、寧夏回族自治区固原、高句麗の壁画にみとめられる。また、南朝の画像磚にも数例ある。中原にはないので（唯一、段倹妻李弟

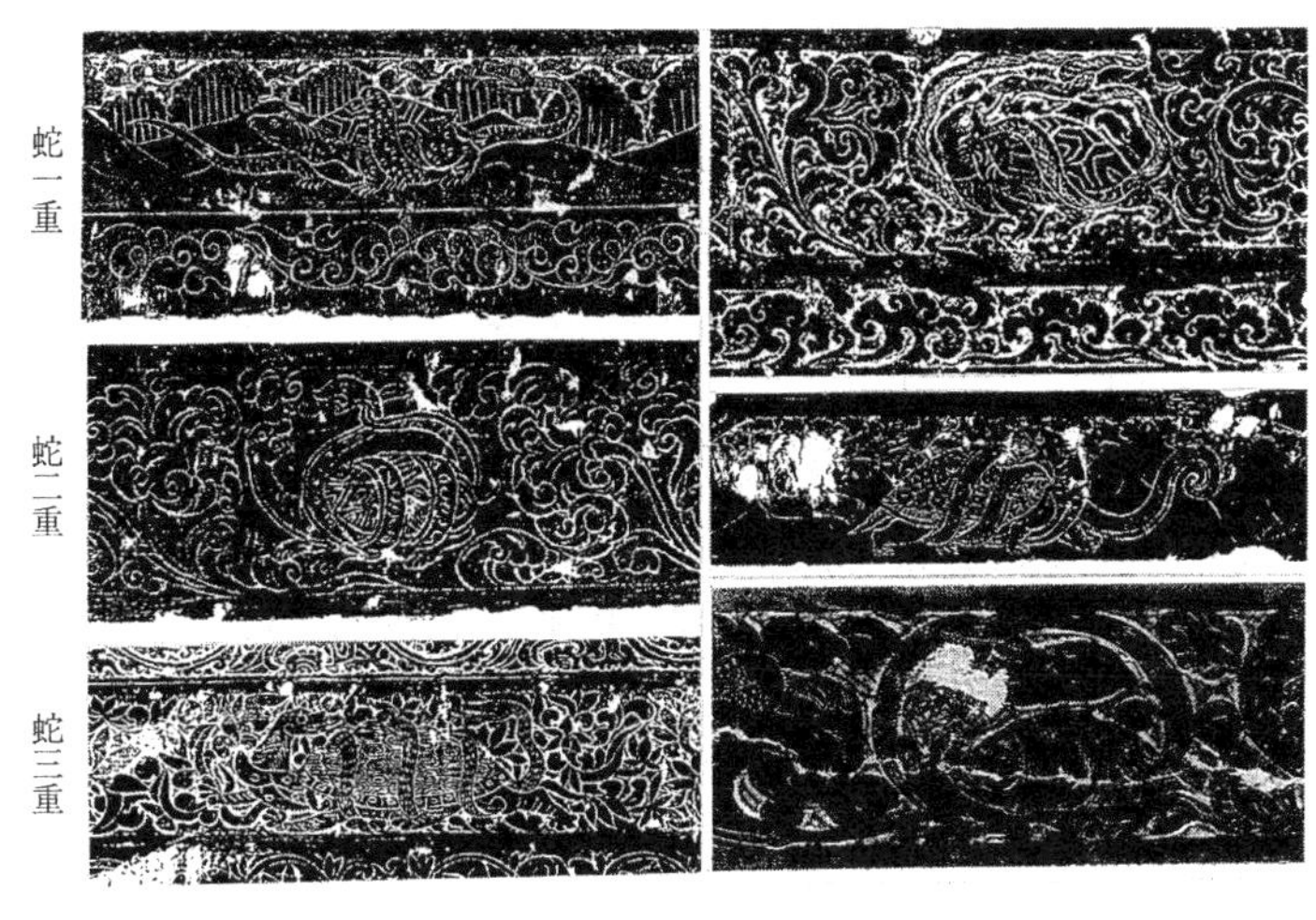

第13図　玄武の諸相

蛇一重；李玄済墓誌（654年），陽玄基墓誌（703年），蛇二重；胡勖墓誌（720年），王宣墓誌（640年），蛇三重；独孤羅墓誌（600年），張去逸墓誌（748年）

墓誌にみとめられる)、地方型ととらえることができよう。

山西省太原金勝村七号墓（焦化廠墓）　墓室壁画　ⅡB類　高宗～武則天期

山西省太原金勝村六号墓　墓室壁画　ⅡB類　武則天期

甘粛省敦煌仏爺廟湾一二三号墓　磚浮彫　ⅡAZ類　七世紀末～八世紀初

寧夏回族自治区固原史索岩墓　墓誌線刻

高句麗江西大墓　墓室壁画　第二類型B式

〈二重〉　爾朱紹墓誌蓋（天理大学附属天理参考館蔵、北魏永安二年〈五二

九〉）、河南省鄧県学荘村墓の画像磚（ⅠA3類、六世紀前半）をはじめとして、南北朝時代に比較的多い。唐代に入っても、

李寿墓　石槨浅浮彫　ⅡB類　貞観五年（六三一）
武斌 並 夫人墓　墓誌線刻　ⅡB類　延載元年（六九四）
武瓛墓　墓誌線刻　ⅡB類　證聖元年（六九五）
李景由墓　墓誌線刻　ⅠB3類　開元二十六年（七三八）
史思禮墓　墓誌線刻　ⅠB1類　天宝三年（七四四）
高元珪墓　墓誌線刻　ⅠZ類　天宝十五年（七五六）

〈三重以上〉三重に巻きつくものがもっとも多いが、二重にくらべて新しいものに目だつ。

薛儆墓　墓誌線刻　ⅠA3類　開元八年（七二〇）
馮君衡墓　墓誌線刻　ⅡA類　開元十七年（七二九）

〔亀・蛇の口がひらいているか、とじているか（第14図）〕　キトラ・高松塚のばあいは亀・蛇ともに口をとざしている。薬師寺薬師三尊台座、正倉院の十二支八卦背円鏡・白石鎮子の玄武も第二類型B式で、しかも口をとざす。これにたいして、蘇思勗墓・高元珪墓・葦氏墓などの玄武は三重に巻きつき、口を大きくあけて相手を威嚇している。蛇もま

た同様。唐代には口をとじた玄武は存在しないのである。

江蘇省鎮江市畜牧場二十七大隊墓から出土した四神紋画像磚の玄武は口をとざしており、キトラ・高松塚に近い。この磚には「晋隆安二年」の紀年銘があり、東晋三九八年の造墓であったことがわかる。

〔足指三本の亀〕　キトラ白虎の左前後肢と高松塚青龍の左前肢の指が四本であるほかは、いずれも足指は三本であった。しかも猛禽のようにするどい。玄武の亀の足指はすべて三本である。唐墓壁画には同時代の玄武はみとめられないので、さかのぼって似た図柄があ

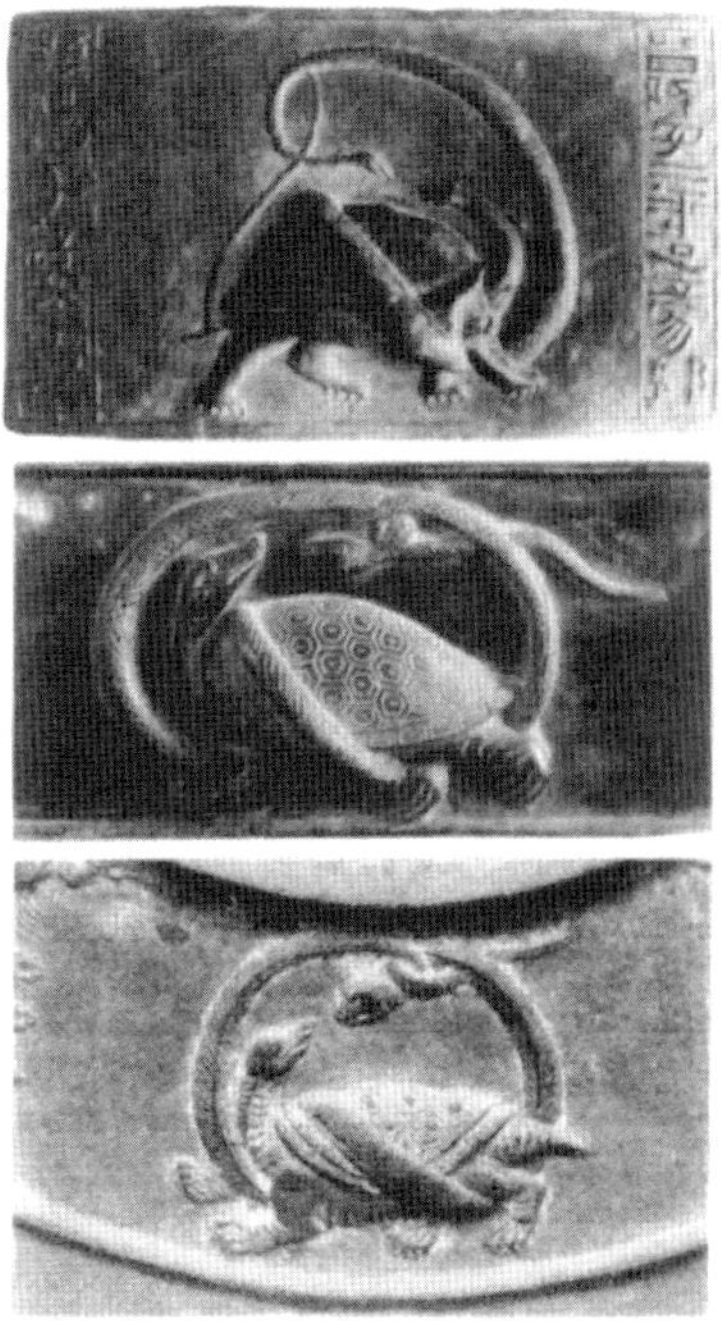

第14図　口をとざした玄武
上から，江蘇省鎮江畜牧場27大隊墓出土画像磚，薬師寺金堂薬師如来像台座，正倉院十二支八卦背円鏡

るかさぐってみよう。

まず東晋代から。畜牧場二十七大隊墓から出土した四神紋画像磚の玄武は加藤分類1A2類で、蛇は一回巻きつき、口をとじているが、足指は四本である。つぎに南北朝であるが、南朝には四神はなく、北朝では北魏孝文帝による平城から洛陽への遷都後に、玄武をふくむ四神がしばしば見られるようになり、それが隋唐までひきつがれる。

爾朱紹墓誌蓋（天理大学附属天理参考館蔵）　北魏永安二年（五二九）
元天穆（げんてんぼく）墓誌蓋　北魏普泰元年（五三一）
鄧県学荘村墓画像磚　六世紀前半
崔芬（さいふん）墓壁画　北斉天保二年（五五一）
李誕（りたん）石棺線刻　北周保定四年（五六四）

高松塚・キトラの玄武

高松塚・キトラの玄武では、蛇は亀に一回だけ巻きつく。両者の頭が亀の甲羅の上でむきあうが、口はともにとじている。四肢の指は三本。これらの要素をみたした例はキトラ・高松塚に併行する時期の壁画や墓誌にはなく、もっと前の時代の図像にちかいのである。玄武にかんしても、西安地区の唐墓壁画下絵が粉本になった可能性は低い。しかもこれらの特徴は、薬師寺薬師如来台座や正倉院十二支背円鏡の玄武と共通する。

キトラ朱雀の謎

朱雀図像の再検討

高松塚古墳には朱雀図が存在しない。当初からなかったのか、あるいは盗掘による南壁の毀損（きそん）によって消滅してしまったのか、後者の可能性が高いだろう。いずれにしても、朱雀図のばあい、検討の対象となるのはキトラ古墳だけである。しかもキトラにおける朱雀・青龍・白虎の発見は玄武より遅れ、二〇〇一年三月のことであった。デジタルカメラを挿入して写真撮影した成果である。そのようなわけで朱雀の研究はほかの三神より遅くはじまったのであり、参照すべき学説ははなはだすくない。中国・朝鮮そして日本の鳥図像をさまざまに比較し、検討したのは網干善教ただひとりである。

キトラ古墳の朱雀図がきわめてすぐれた造形であることに異論はないだろう。来村多加史は「東アジアを通じて最もすばらしい朱雀である」と評した（『高松塚とキトラ—古墳壁画の謎—』前掲）。たしかにその両翼と飾り羽のバランス、顔の表情のリアルさはほかに類をみない。にもかかわらず、青龍・白虎や玄武よりさらに手がかりがすくない。キトラ朱雀と似た鳥図像をさがしてもなかなかみつからないのである。そこで、特徴的な要素を抽出して、部分ごとに比較する、という方法をとらざるをえない。

網干善教は、朱雀を表現した（と彼が考える）図像を聚成（しゅうせい）し、四種に分類した（「四神図の頸部装飾とその類型」『関西大学博物館紀要』四）。

A静止＝鳥が両足をそろえて立つ様態
B歩行＝鳥が片足をふみ出して歩く姿勢
C頡頏（けっこう）＝鳥が片足をするどく曲げ、ほかの足で力強く地を蹴る姿勢
D飛翔＝鳥が両足をそろえて後方にのばし、大空を飛翔する姿

そしてキトラ朱雀はCの仲間であるとする。すなわちキトラ朱雀が採る姿勢を「頡頏」ととらえるのである。頡とは鳥がまさにとび立つ姿、頏とは鳥が着地する姿であるという。

網干はまた別稿において、キトラ古墳南壁の朱雀図について、「いままさに飛翔しようとする寸前の姿態を描いた躍動的な朱雀図といえる」ととらえた上で、つぎのような特徴を抽出した（「古墳壁画・墓誌等にみる朱雀・鳳凰の図像」『関西大学博物館紀要』八）。

①頭頂部に長い曲線で冠羽が描かれている。従来の朱雀や鳳凰図にあまり見ることのなかった表現である。
②精悍な眼、大きな耳朶（みみたぶ）、肉垂（にくだれ）は、みるからに躍動する鳥のもの。頸から胸部、そして腹部にかけて羽毛があり、尾羽は五本で長い。
③両翼羽と風切羽（かぜきりばね）を意識して描きわけており、珠点のような紋様がある。
④右脚は鳥伸、すなわち地面を蹴ったように力強く直線状にのばし、たいして左脚は鋭角状に曲げている。この脚は朱雀がまさにとび立とうとする瞬間、すなわち「頡」の状態を表現したものである。

そして「従来の朱雀、鳳凰のような装飾的な図像ではなく、きわめて写実性を示しているものとも理解できよう」と総合評価をくだした。

わたしはさらに、
⑤四神の一として南壁に表現されている
⑥一羽だけである
⑦横むきである
⑧足を折り曲げ顔を前方に伸ばした平たい姿勢
という特徴をくわえて検討してみることにした。主眼は、網干が提起した「頡頏」説が正

しいかどうか、検証することにある。網干説に対する反論はいまだになく、頡頏説が広く受けいれられているようにもおもえるのだが、はたしていかがなものであろうか。なお、青龍・白虎の姿勢については、中央では歩行型から飛翔型へ変化すること、地方には山西省太原地区の招き型、高句麗の遊泳型があり、キトラ・高松塚の静止型に近いのは南北朝期の石刻や磚画にあることをすでに指摘した。

墓誌と石槨の朱雀

壁画として描かれた四神のうち、墓室入口に描かれたため、朱雀がのこっている率は他の三神よりさらに低く、全体像がわかる例はきわめて少数である。そしてそのうちのほとんどは立位の正面形である。

長楽公主墓第二通洞門　貞観十七年（六四三）
史索岩夫婦墓第五封門　麟徳元年（六六四）
韋洞墓墓道東壁　景龍二年（七〇八）
長安南里王村墓墓室南壁　開元～天宝
蘇思勗墓墓室南壁　天宝四年（七四五）
唐安公主墓墓室南壁　興元三年（七八六）

したがって、キトラ朱雀と比較でき得るのは石刻資料に限られる。墓誌、石槨、石門などである。

第15図　正面形の鳥図像

1史索岩墓壁画，2韋洞墓壁画，3蘇思勗墓壁画，4南里王村墓壁画，5高元珪墓壁画，6薛儆墓誌蓋

墓誌のばあい、四神は蓋の斜殺（あるいは四殺）、まれに誌石側面にあらわされた。石槨においては槨壁に、石門では額・楣（まぐさ）・扉などが画面となる。

唐代石門額の対鳥意匠

網干はキトラの朱雀を「頡」の形、つまりいままさに飛び立たんとする姿と見る。鳥が飛び立たんとする際には両翼を広げて打ちふるはずだ。この点についてはキトラの朱雀は大きく両翼を広げていてふさわしい。しかし、鳥は着地する時には両足をそろえてのばすのではないか。キトラ朱雀が「頏」にふさわしい姿勢といえるであろうか。

唐代初期の墓門門額に彫刻された対鳥の中に、キトラ朱雀と同様の姿勢を採るものがみとめられるので、両者の関係をさぐってみよう。

石製の墓門は東漢代の画像石墓にはじまり、北朝～隋をつうじて存在する。漢代の画像石墓では、墓門の両扉に、それぞれ鋪首の上に立つ鳥と畏獣を向かいあうように彫刻した。額はなく、この状況は晋・北魏へと続く。

半円形の額を設けるようになったのは南北朝後期になってからで、北斉文宣帝武寧（ぶねい）陵に比定され、とすれば乾明元年（五六〇）の埋葬となる湾漳（わんしょう）墓（河北省磁県）、北斉武平二年（五七一）に亡くなった徐顕秀（じょけんしゅう）の墓（山西省太原）や北周大象元年（五七九）埋葬の安伽（あんか）墓（陝西省西安）などである。半円形の額を導入するようになったのは、拱券頂（きょうけんちょう）（トンネル形）甬道の天井にあわせるためであろう。唐代のふつうの墓は墓道をもつ地下式土洞墓であるが、高級な墓は甬道と墓室を磚を積みあげて築き、甬道から墓室へぬけるところに拱券門を設けた。

唐代になると、石製の葬具、石棺・石槨などは禁止され、石門も一時そのすがたを消す。ふたたび採用されたのは貞観四年（六三〇）の李寿墓からで、そこでは石槨も再登場している。李寿墓以降、一品・二品クラスの墓には石門を設けることが多くなり、ふつう甬道の中ほどか一番奥、すなわち墓室の入口に設置された。中には石門を三道設けるばあいもあった（長楽公主墓）。墓道から入ってくると石門がみえるはずで、そのかぎりでは、あたかも墓室全体が石造であるかのように感じられるであろう。しかし実際には封門磚で外側から蓋をするばあいが多いので、かならずそうだとはかぎらない。

このように石門はかなり特殊な存在なのであるが、隋～唐初の中断期をへて、どのように変わったのかなど、石門にかかわるいくつかの問題について考えてみよう。

〔石門の構造と部分名称〕　石門は、基部を構成する門檻と門砧、門本体である門扉とそれを支える門框、そして上部に渡した門楣と門額という部材を組みあわせてできている。ところが、これらの部材の名称について若干の問題がある。中国の研究者の中に、門楣と門額を逆にとらえる考え方が存在するのだ。たとえば『固原南郊隋唐墓地』は框の上にわ

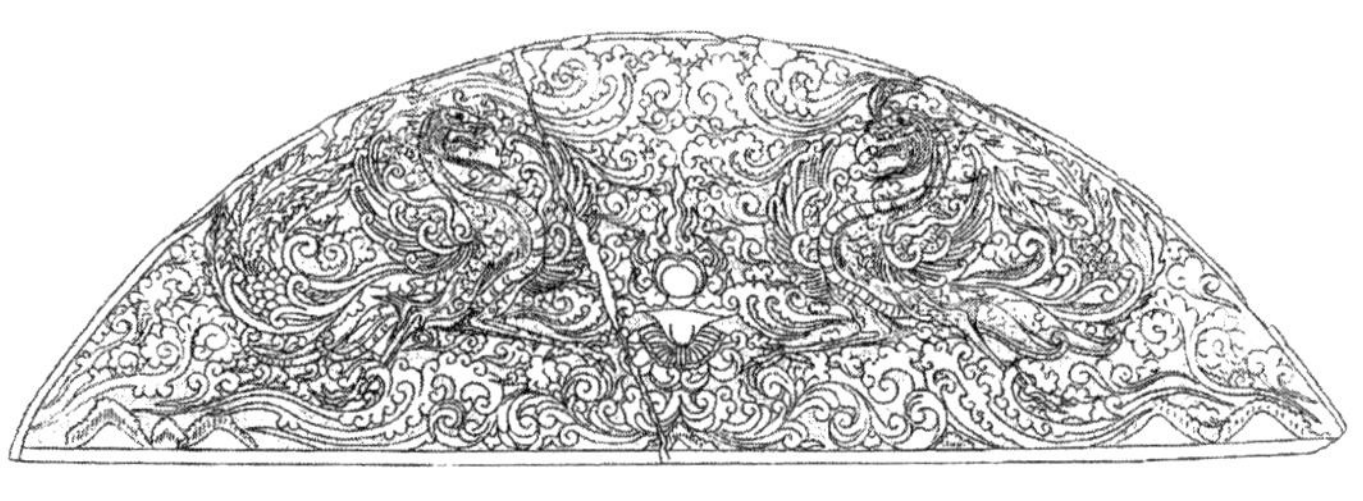

第16図　石門楣の対鳥図像（新城長公主墓）

たした横位置の角材を門額、その上にのせた半円形の飾りを門楣であると図示している。新城長公主墓、李憲墓などおなじ扱いをする報告は多い。ところがこれにたいして、少数派であるが、高力士墓や最新の盧正容墓の報告や李星明『唐代墓室壁画研究』（陝西人民美術出版社）のように半円形の飾りを門額とするばあいがふえてきた。

『辞海』は『爾雅（じが）』釋官（しやっかん）の記載「楣謂之梁」に基づいて「門戸上横梁也」と解説している。門の上の横方向の部材を楣と称するべきで、本稿では少数派の方を採用する。額は眉より上にあるのだ。なぜ、中国において額と楣とを混同するようになったのだろうか。

〔石門の彫刻、対鳥紋（双鳥紋）〕　石門には、無紋のばあいもあるが、各部材にさまざまな図様を彫刻して飾ることが多い。

多くの石門では額に対鳥紋が彫刻されているが、それらのばあいは相手と見あっているか、あるいは威嚇しているようにおもえる。鋭角に曲げた脚は相手にケリを入れる寸前なのではなかろうか。史訶耽墓では左側の鳥が顔をそむけている。そこでまず、隋唐の石製墓門を集成し、分析してみた。

門額に対鳥紋を刻するのは唐代になってかなり経過してからで、貞観四年（六三〇）の李寿墓ではまだあらわれず、龍朔三年（六六三）の新城長公主墓になってはじめてみとめられる。以下、石門額に対鳥紋を表現した例をいくつかあげよう。

史索岩夫婦墓　顕慶元年（六五六）
新城長公主李宇墓〔昭陵陪葬〕　龍朔三年（六六三）
史訶耽夫婦墓　咸亨元年（六七〇）
安元寿及妻翟氏墓〔昭陵陪葬〕　光宅元年（六八四）
李無虧（りむき）墓　万歳登封元年（六九五）
懿徳太子李重潤墓〔乾陵陪葬〕　神龍二年（七〇六）
章懐太子李賢墓〔乾陵陪葬〕　神龍二年
永泰公主李仙蕙墓〔乾陵陪葬〕　神龍二年
安菩夫婦墓　景龍三年（七〇九）
李仁墓　景雲元年（七一〇）
楊執一墓　開元四年（七一六）

薛儆墓　開元八年（七二〇）
恵庄太子李撝墓　開元十二年（七二四）
盧正容夫婦墓　開元十九年（七三一）
譲皇帝李憲墓〔恵陵〕　開元二十九年（七四一）
高力士墓〔泰陵陪葬〕　宝応二年（七六三）

石門額に対鳥をあらわすことは、六六三年から七六三年までのちょうど百年続いたことになる。

門額の対鳥は、第17図にしめしたように、腰をおとして一方の肢を深く曲げたものから、相対的に立ちあがった姿勢にちかいものへと変化している。時代がくだると、高力士墓の鳥のように、両翼を打ちふりいままさに飛び立った姿となる。キトラの朱雀は古い形（たとえば新城長公主墓、第16図）にちかい。キトラでは一羽だけが描かれているのであるが、唐初期の石刻図像の対鳥下絵が粉本の一候補として浮上してくる。

頡頏説の是非

キトラ古墳の朱雀はいままさに飛び立とうとする姿である、と網干善教が指摘し、多くの研究者も追随してきた。網干が「頡頏」と名づけた、片足をするどく曲げ、もう一方の足で力強く地をける姿勢は、たしかにそのようにもみえる。しかし、それらの諸特徴をあわせもつ壁画は中国にはみあたらず、石門の門額のよう

第17図　対鳥意匠

上から，キトラ（右は反転したもの，山本忠尚作図），史訶耽墓石門額

な石刻資料の対鳥に似たものがあった。飛びあがろうとしているのではなく、対面する別の鳥とみあっているのである。キトラでは一羽だけであるが、むしろ画面にはあらわれていない別の一羽の存在を想定してみたらいかがであろう。中国における対面する二羽の鳥図像にはわずかながらその表現を違えてあり、雌雄をあらわしたと考えられている。『爾雅』釋鳥には「鶠其雌皇」とあって雄と雌を区別しており（皇は凰のこと）、張華の『禽経』も「鳳雄凰雌」と記している。本来、一対で意味をもつ存在だったのだ。

墓誌蓋のばあい、四神はおもに四面ある斜殺に刻された。唐初期の墓誌蓋は平たく殺の幅が狭い。徐々に高さを増し、殺も幅を広げてゆく。朱雀は正面形で立ちあがった姿勢をとるように変わっていった。門額もほぼ同じように変化した。すなわち、下弦の月のような円の四分の一ほどの低い形から、高さを増し、やがて半円形に近くなり、対鳥の姿勢も高くなってゆく。つまり唐初期においては、四神を表現する空間が制限されていたので平べったい形をとらざるを得なかったのである。

キトラの南壁にはもっと背の高い朱雀を描く余裕があるのに、かなり低く平たい形をとっているのはなぜか、その理由を右の脈絡の中で考えると、唐初期の門額の図像を模倣した可能性が浮上してくる。キトラ朱雀は、本来対鳥であったものを粉本とし、その一方だけを描いた、つまり頡頏の姿勢ではないと考える。雌雄のどちらであるかは判断できないが。

高松塚・キトラ古墳の謎

高松塚人物群像の謎

高松塚石槨（せきかく）の東壁と西壁に描きわけられた人物群像の配置、構成、衣服などについて分析し、どのような場面をあらわした図像なのか考えてみよう。

人物群像の特徴

①十六人が、各四人ずつ、四つのブロックにわかれている。
②女は女、男は男でかたまっている。つまり女八人、男八人がおのおの二グループにわかれている。
③中央の青龍（せいりゅう）あるいは白虎（びゃっこ）の図をはさんで、北側に女性群像、南側に男性群像が配されている。女性たちはどちらのばあいも出入り口から遠いほうに位置する。
④女性の衣裳は、色はかわるが、基本的にはおなじデザインである。膝下くらいまで

第18図　高松塚の人物群像（山本忠尚作図）

ある長い上衣と、裙が地にふれそうな長裙(くん)（スカート）である。頭は結髪。

⑤女性像八人のうち、六人の顔が斜め四十五度の方を向く。

⑥男性の服装も女性とほぼおなじであるが、裙ではなく袴(こ)（はかま）をはき、頭上に漆紗冠、すなわち幞頭(ぼくとう)とおもわれるものをかぶる。

⑦女性は翳(さしば)（柄の長いうちわ）、払子(ほっす)、如意(にょい)をもつ。男性は手に蓋(きぬがさ)、胡床(こしょう)、毬杖(ぎっちょう)（ポロのスティック）、あるいは袋に入れた棒状の器物などをもち、あるいは首から四角い袋をさげる。

⑧東壁先頭の男性と西壁の二番目は髭をはやし、ほかとちがう。蓋をさしかけられているので重要な人物とされるが、この人物は蓋の下にいるのではない。たんに蓋をもった別の人物のそばにいるにすぎない。幞頭も上衣もほかの人物とおなじである。

人物の身分

スカートをさす用語として「裳(も)」と「裙(くん)」があるが、関根真隆(せきねしんりゅう)によると、裙はいくつかの裂(きれ)をつなぎあわせたものを指すばあいがあったという（『奈良朝服飾の研究』吉川弘文館）。高松塚のばあいはまさにこれに該当するので、裙のほうが適している。上衣は袍(ほう)（「うえのきぬ」すなわち上着）と呼ばれる丈(たけ)の長いもので、襟は胸元であわせる垂領(たりくび)に仕たて、同じ色のとめ紐でむすぶものと、ボタン状の突起（蜻蛉(とんぼ)頭(がしら)）に、受緒(うけお)（わっかにした紐）でとめるものとの両様がある。前者は左右の身頃(みごろ)を正面中央であわせ、後者は左衽（左前）とする。両袖は筒形でかなり幅ひろく、両手をそのなかにかくして拱手（胸元で両手を組みあわせること）した者と、手に器物をもった者とがある。腰には細い帯をまわしてゆるくしめる。長裙は縦長の三～四色の色ちがいの布を順に縫いあわせたプリーツスカート型で、裾にかざりの紕をめぐらせてある。上衣にかくれているので、腰でとめているのか、胸下まで達するほど長いのかはわからない。

秋山光和は、高松塚の女性像にかんして「これらの服飾は、七世紀後半、特に天武朝のころからしばしば『日本書紀』に記載される服装改正の記事に対応する点が多く、一方では、現存する『養老令』を通してうかがわれる『大宝令』の規定とは、細部にかなり相違をみせる。すなわち令による服制ができあがる以前の状態を描き出したものと思われ、制作年代の下限にも一つの示唆があたえられる」と考えた。

有坂隆道の所説も同類で、服装が『大宝令』衣服令とは合致せず、天武十三年（六八四）閏四月五日から朱鳥元年（六八六）七月二日までのわずか二年三ヵ月の服制こそふさわしいとし、「壁画人物は天武天皇が崩御の寸前まで眼前にしておられたニュー・モードの宮廷人を描いたことになると思うのです」とさえ言明している（『古代史を解く鍵　暦と高松塚古墳』講談社学術文庫）。

右にたいして義江彰夫は、高松塚の人物像を、『大宝令』に規定された礼服をきていることを根拠として、皇族や要職をしめた貴族たちである、とする。また、上衣と袴（女は裙）のあいだに、厚めの襞（ひだ）がついた独立した衣服を着用している。これが大宝令において「褶（ひらみ）」という名で礼服の一部として記されているものに該当するのだが、『日本書紀』天武十一年（六八二）の条ではこの褶の着用が禁止され、大宝令にいたって復活する、したがって壁画は大宝令施行の七〇二年以降に描かれたとする。直木孝次郎（なおきこうじろう）もこれを全面的に受けいれると表明した。

秋山説と義江説は、おなじ書物に収録されているが（『高松塚古墳と飛鳥』中央公論社）、その考え方は一八〇度ちがうのだ。つまり『大宝令』以前か以後かということ。研究の結果が相違するのはあたりまえであるが、その前提と経過が問われる。

どちらの考えも描かれた人物像が皇族や貴族であることを前提とするが、まずこの点がおかしい。蓋（きぬがさ）や胡床（こしょう）をもった人物が貴族であるはずがなく、彼・彼女らは侍者なのである。したがって彼らには令の規定はおよばない。しかも礼服（らいふく）は五位以上の者が着用するもので、六位以下に礼服はなかった。令の規定を云々（うんぬん）するならば、朝服（ちょうふく）か制服を対象にすべきであろう。「朝服」は、公式行事にたずさわる時、初位以上の官人が着用すべきもの、無位すなわち一般庶衆が公務に服する時に着せしめるのが「制服（せいふく）」である。したがって、私邸内で侍女たちがどのような衣服を着ていたかに令の規定をあてはめるのはおかしい。

なお、関根真隆前掲書によると、「大宝令の朝服規定は養老令のそれとはかなり相違したものであったと考えられる」のではあるが。

文献に記載された服装から壁画の年代をきめることはできないのである。図像については別な方法を採用しなければならない。

出行図であるか否か

高松塚・キトラのばあい、壁画は石槨内部に描かれたので画面がちいさい。ちなみに石槨の内法(うちのり)は、幅一・〇四メートル、高さ一・一三メートル、奥行き二・六六メートルしかない。最も背の高い人物像でも三九・三センチ。これにたいして中国では、壁画は墓道、過洞(かどう)、甬道(ようどう)、墓室(前室・後室にわかれるばあいもある)の各所に描かれた。画面が大きく、人物の高さはほぼ実大で、高松塚の四倍はある。

また場所によってその人数と配列をかえている。人物には宮女・女侍のほか、男侍・内侍(ないじ)(宦官(かんがん))・侏儒(しゅじゅ)(こびと)・胡人(こじん)(西域(さいいき)のひと)・楽伎などもふくまれている。なかには男装した女侍もいる。「宮女」は宮中において太子や公主につかえる女官、女侍は貴族につかえる女性侍者、実際には女奴婢(ぬひ)たちである。「仕女」は女侍よりランクが上、美人の意もあり仕女図といえば美人画の意味である。このような「群侍図」は楊温(ようおん)墓(六四〇年)からはじまった。それ以前にはない唐独特の図柄なのである。高松塚の人物群像も「群侍図」とみなすべきである。

高松塚の人物群像について来村多加史は、すべての人物はあきらかに外出のよそおいをし、石室の外へあゆみだすポーズをしているので、人物群像は「出行図」であるという（『高松塚とキトラ―古墳壁画の謎―』）。先にふれた『万葉の衣食住』の見解もおなじで、「衣服やその仕草から儀式に出向う列をつくりながら移動する姿に見える」とする。出行説はほかにも多い。たしかに南（すなわち入口）へむいた人物が多い。しかし、顔のむきは定まっていないし、男性は足をそろえて止まっている。むしろおたがいに談笑しているようにみえる。男性がもつ細長い袋の中身が大刀であるとすれば、出行するのに袋のままのはずがないだろう。また、唐墓壁画において男女がまじりあうことは初期にはなく、墓室内に男性はいない。逆に女性が出行する場面は皆無である。唐墓壁画における女侍の位置は、長楽公主墓（六四三年）では石門以内、段簡壁墓（六五一年）では第三天井以内、韋貴妃墓（六六六年）では第四過洞以内であり、男女と内外をわける意識が明瞭に存在したのである。一方で、時がくだるにしたがって、女性がより外方へと進出している。

また、なんのために外へむかうのかというと、来村の表現によれば、人物は中国のように従属的な者ではなく、むしろ被葬者を野外へさそう「ピクニック気分」の親しい仲間たちのような印象を受けるといい、『万葉の衣食住』は儀式に出かける場面だとする。唐ではあり得ないことである。女性は出行しないのだ。

唐墓壁画においては、出行図と列戟図は墓道に描かれた。墓門をさかいにして墓室の内部は邸宅のうちであり、斗栱・梁・柱を描き、柱間に人物群像を配してある。甬道がその緩衝地帯の役をはたし、宮苑すなわち廷内ではあるが建物外の空間であると考えればよさそうだ。唐壁画墓第一期においては、墓室内に描かれた人物は女侍（男装の女侍を含む）と内侍のみ、第二期になると男性がくわわるようになり、幼童もまた描かれるようになった。侍者が子犬や鳥をもつようになり、樹木・湖石・飛鳥が描かれはじめるのも同時期である。墓室の壁には、その下部に墓主人の生前の生活を、また上部に天上の世界を描くのが漢代以来の伝統なのである。唐代には墓主人を描く習俗はなく、例外として韋貴妃墓に「侍奉男主図」と「侍奉女主図」があり、高元珪墓に「墓主人と侍女図」がある。高松塚のばあいは墓道がないので、すべてを槨内に表現したとの考えもあり得るであろうが。

網干善教は「壁画の人物像は出行図でも、葬送の行列図でもなく、現身の人が黄泉の世界にある被葬者への従者として描いたとすることが正当ではないか」と考えた（『高松塚古墳の研究』同朋舎）。わたしも網干説を支持する。

蓋の連珠紋

東壁南側に描かれた四人の男性像のうち、南から二人目の人物が蓋をもっている。方形の傘の部分と、それをささえる柄からなる、差しかけ式の蓋である。傘の本体は濃緑色で、四隅に茶色の別布を縫いつけている。そして隅の端からは組紐をむすんだ緑色の総がさがる。この四隅の茶色部分には円環に構成された連珠紋がみとめられる。

かつてわたしは、珠紋を連ねて円環形をつくり、内部に主紋をおさめた紋様単位に「連珠円紋」と名づけ、分析したことがある（「瓦と連珠円紋」奈良国立文化財研究所編『文化財論叢Ⅱ』同朋舎出版）。円環の十二時、三時、六時、九時の部位に嵌入した繋の形によって、以下のように四分し、円環内の主紋ばかりが研究対象とされてきたけれど、ふち飾りというマイナーな存在が有効であることをしめしたのであった。

Ａ類…なし（珠紋だけで構成）
Ｂ類…重角形あるいは入レ子枡形
Ｃ類…三日月形を入れた小連珠円
Ｄ類…小開花紋

いま話題にしている蓋四隅の連珠紋は、Ａ類の珠紋だけで構成した連珠円紋である。この茶色っぽい布はたぶん錦であって、そこに連珠円紋が織りだされているのであろう。この類は中国では北斉代に出現し、隋から初唐に多いことはたしかだが、錦は珍重され、裂として後世までのこるので、年代をきめる手がかりにはならない。ただ、法隆寺金堂の壁画（東面大壁の敷物のふち）にもみとめられることを記しておこう。

縦縞の長裙

高松塚の女性たちが着ている首もとから膝上まで達するような長い上衣（袍）は、唐の壁画はもちろん、中国のどの図像にもみとめられない。

唐代の壁画や俑などにみえる女性の衣裳の基本はつぎの三タイプである。

①筒袖の衫（襦とも呼ぶ、シャツである）の上に袖なしの半臂をまとい、腰でしばった裳あるいは裙をはく。

②内衣は同じだが、長い裙を乳上でしばってとめる胸高タイプ。

③肩まで一体の半袖ワンピースタイプ。

いずれもその上から肩に帔（ストゥール、ショール）をかけるのが常套のスタイルである。

②の仲間である縦縞の長裙（中国では「条紋裙」とか「多褶裙」などと称する）は、韓劉によると、条紋裙は南北朝時代に出現し、唐代早期に流行したという（「中国唐壁画墓和日本古代壁画墓的比較研究」『考古與文物』一九九九年第六期）。中国古代の布は幅がせまかったので、裾が大きくひらく裙のばあいは布を継がなければならなかったためである。色をかえれば縞になり、華麗にみえる。

図像としてもっとも早いのは、甘粛省酒泉丁家閘五号墓壁画、敦煌莫高窟二二八窟

（北魏）、二八五窟（西魏）、六二窟（隋）などがあげられ、また俑としては張雄夫婦墓（アスターナ二〇六号墓）出土品がある。夫は延寿十年（六三三）、妻は垂拱四年（六八八）に死去した。俑は妻の副葬品であろう。これらはすべていわゆる「西域」の文物であり、長裙は西のほうから伝わってきたのかもしれない。ピヤンジケント、アフラシヤブといったソグドの遺跡では、王宮と考えられる建物の壁画に縦縞の長裙を着た女性像がみとめられるのだ。

隋代の図像資料としては、

敦煌莫高窟六二窟	甘粛敦煌	
徐敏行墓（五八四年）	山東嘉祥	
史射勿墓（六一〇年）	寧夏固原	

の壁画があるが、これらは縞の幅がせまい。『事物紀原』巻三に引く『實録』には「隋煬帝作長裙十二、名仙裙、今大衣中有之、隋制也」とある仙裙に相当するものであろうか。

唐墓に描かれた例をあげると、

李寿墓（六三〇年）	昭陵陪葬墓	楽舞図
楊温墓（六四〇年）	昭陵陪葬墓	女侍図
楊恭仁墓（六四〇年）	昭陵陪葬墓	女侍図

長楽公主墓（六四三年）　昭陵陪葬墓　女侍図
李思摩墓（六四七年）　昭陵陪葬墓　弾琵琶楽伎図

ここまでは縦縞の幅がひろい、つまり本数がすくない。斉東方・張静「唐墓壁画與高松塚古墳壁画的比較研究」（『唐研究』第一巻、北京大学出版社、一九九五年）は幅のせまい多褶裙から広い条紋裙への変化を想定した。貞観十五年（六四一）の閻立本「歩輦図」に描かれた女性たちも幅ひろの長裙をはいている。裾にはふち取りがめぐっており、裙の下にさらにモンペのようなものをはいている。

段簡璧墓（六五一年）　昭陵陪葬墓　仕女図
執失奉節墓（六五八年）　長安郭社鎮一号墓　舞女図
新城長公主墓（六六三年）　昭陵陪葬墓　女侍図
李震墓（六六五年）　昭陵陪葬墓　女侍図
韋貴妃墓（六六六年）　昭陵陪葬墓　女侍図
李爽墓（六六八年）　西安羊頭鎮一号墓　鼓吹楽伎図
李勣墓（六七〇年）　昭陵陪葬墓　奏楽図
燕妃墓（六七一年）　昭陵陪葬墓　女侍図・奏楽図
房陵大長公主墓（六七三年）　献陵陪葬墓　女侍図

阿史那忠墓（六七五年）　昭陵陪葬墓　女侍図
安元寿墓（六八四年）　昭陵陪葬墓　女侍図

右のように、七世紀の八十年代まで壁画に描かれたが、武則天（ぶそくてん）の統治期間をへて、永泰（えいたい）公主墓・章懐（しょうかい）太子墓・懿徳（いとく）太子墓など八世紀はじめの壁画にはみあたらない。きわめて限定された期間に流行したファッションなのである。唯一、節愍（せつびん）太子墓（七一〇年）甬道にみとめられるが、これは幅がきわめてせまいタイプで、しかも着ている者はごく少数である。

唐墓壁画十六例はすべて西安（せいあん）地区にあり、しかもそのうち昭陵（太宗の墓）に陪葬（ばいそう）されたものが十三、献陵（高祖の墓）陪葬一例とあわせて九割ちかくをしめる。洛陽地区ほかにはこの時期の壁画がすくないため、この種の服装がまったくなかったとは断言できないが、西安中心の風俗であった可能性が強い。

また、この縦縞裙を着ているのは女侍だけで、官女が身につけている例はほとんどない。女侍も官女も女性召使いであるが、官女は宮中で皇室成員の世話をする官位をもった役人、着衣にも身分差があったのだろう。まず貴族たちの下層女召使いたちが最新の流行をとりいれたとおもわれる。

先述のように、俑にも同様の縦縞裙をはいた例がある。

第19図　縦縞裙をはいた侍女（新城長公主墓壁画）

楊温墓（六四〇年）　　昭陵陪葬墓
鄭仁泰墓（六六四年）　　昭陵陪葬墓
李爽墓（六六八年）
節愍太子墓（七一〇年）　　定陵陪葬墓

前三者は赤と白の縞、先述の張雄墓のばあいは赤と黄の縞、時期としては壁画のばあいとかさなる。

〔高句麗壁画〕　斉東方・張静「唐墓壁画與高松塚古墳壁画的比較研究」（前掲）は、高句麗古墳壁画の婦女の服装が高松塚のものによく似ている、という。たしかにつぎの平壌地区の三墓には縦縞裙をはいた女性が描かれている。

徳興里古墳…四〇九年埋葬。多色ではない。下にモンペのようなズボンをはいている。

水山里古墳…五世紀後半。縞の幅が広く、多色の裙をはいた夫人の後ろに、細縞で単色の裙をはいた侍女六人が従う。夫人は大きく、侍女は小さくあらわされている。裾下は描かれていない。

双楹塚…五世紀末。縞がきわめて細い。裾下は描かれていない。

したがって、中国でも初期のものにちかいことになる。

右の諸例で注目すべきはむしろ上衣にある。筒袖のハーフコートで、前で合わせる。襟から前身頃・裾までと袖の縁は色ちがいの別布で縁どってある。すべて右衽。

しかし、いずれも五世紀のもので、高松塚と比較するには少し無理がある。

〔天寿国繡帳〕中宮寺に伝わる天寿国繡帳は、製作時の姿をほとんど失い、現存するのは一部の残欠を貼りあわせて額装したものである。

亀甲形の中に四文字ずつ配した銘文四百字が復原され、それによれば、推古三十年（六二二）聖徳太子の死去後、妃の橘大郎女が太子の死をなげき、太子が往生された天寿国の状を現出せんと宮中の采女たちに刺繡させたもので、もとは二帳あった。製作年代をさげる説もあるが、確定していない。

方九一〇センチほどの画面を上中下の三段にわけ、各段をさらに左右に二分しており、都合六区からなる。中段左右に計六人の女性像がみとめられる。すべて立ち姿で、腰までの上衣に裙のひろがった裙を着ている。上衣と裙のあいだに襞のある内衣がのぞく。上衣は詰襟式の盤領で、前にあわせ目があり、襟、袖口、前のあわせ目、裾まわしに別色を用いている。袖は広い。

裙は高松塚の裙と同様、縦長の色違いの布を接いで仕たてている。裙と称しても可な長いものと、膝下が見えるような短いスカートの両様が描きわけられており、後者は縦縞ではなく横縞である。年齢差かもしれない。

〔高松塚の裙〕　高松塚古墳の東壁と西壁に描かれた人物群像のうち、女性たちはすべて長裙をはいている。そのうちの半数が縦縞で、赤・青・緑と薄褐色を交互に用いた多彩な裙である。中国においては八世紀になると表現されなくなったので、粉本を得たとすれば七世紀代のものであった可能性が大である。

キトラ十二支像の謎

高松塚で人物群像が描かれていた部位と対応する位置に、キトラでは十二支像があらわされている。十二支とは皆さんよくごぞんじの「子（ね）、丑（うし）、寅（とら）、卯（う）、辰（たつ）、巳（み）、午（うま）、未（ひつじ）、申（さる）、酉（とり）、戌（いぬ）、亥（い）」という十二種の動物で、時間や方位の単位としてもちいられてきた。

キトラでは、いままでに十二支のうちの六支、亥・子・丑（北壁）、寅（東壁）、午（南壁）、戌（西壁）が確認された。北壁中央の子から時計回りに各壁に三体ずつ、四神（ししん）に対応するように配置されている。

いずれも立位の全身像で、顔の部分が獣、体は人の形をしているので、「獣頭人身」と表現される。その特徴として、右記をふくめて

①着衣の色を方位の色にあわせている

第20図　キトラの十二支像（左から寅・午・子，山本忠尚作図）

②顔と体を右にむける
③すべて右手に武器をもつ
という点が指摘できる。

まず服装から見ていこう。十二支の衣服はいずれも長袍（ちょうほう）という裾がひろがった長いワンピースで、襟と裾に色ちがいの縁どりがつく。腰には帯をしめている。色のよくわかる寅のばあい、黒っぽい色（青であろう）の長袍で縁と裾が赤、午は鮮やかな赤色の長袍で、縁どりは黒っぽい。東の寅は青色の、南の午は赤色の着衣をつけているのである。

第二点、顔と体のむきについては、なぜこのようなポーズをとるのか、よくわからない。いずれも武器をもつ右手を前に差し出し、やや左をむいている。

手にもつ武器については、「鉤鑲（こうじょう）」という古代中国の武器に似るとする網干善教説、仏教の図像、とくに十二神将と関係があるとする百橋明穂説などが提唱されてきた。後述するように、中国にはこのような例はまったくなく、統一新羅の墳墓の周りをめぐる石造の十二支像に武器をもつ例がある。

中国では、十二支ではなく「十二生肖」と呼称する（時には「十二時肖」あるいは「十二辰」とも）。東漢（後漢）の王充があらした『論衡』に記載があり、このころまでには成立していた、と考えられる。「十干」と組みあわせて、ひとの生まれ年や年齢をあらわす「干支」としてもちいるようになったのは、南北朝時代（四三九～五八九年）のこと。文字による表記ばかりでなく、十二種の動物図像で十二支を表現するようになったのもおなじころであった。そのもっとも古い壁画は北斉武平元年（五七〇）の婁睿墓にみえ、写実的な獣形である。

唐代になると、壁画・墓誌に描かれた例のほか、陶俑に造形されたものも出現した。陳安利はこれらをつぎの四種に分類した（「古文物中的十二生肖」『文博』一九八八年二期）。この分類はきわめて妥当なので、これにしたがうが、もう一種、立位の文官が胸前に十二支の動物を抱くものがあるので、これをV類としたい。キトラはそのⅡ類に相当する。

Ⅰ類　写実的な動物として表現（獣像）。北斉からの伝統下にある

Ⅱ類　獣首人身像。日本でいう獣頭人身

第4表　墓誌の十二支図像一覧（原則として一年一例を抽出、始点がずれているもの優先）

墓誌名・位置	出土地	年代	分類／壺門	始点	四神
独孤蔵墓誌・側	陝西咸陽	北周宣政元年（五七八）	Ⅰ類／有	6時	なし
王栄及妻劉氏墓誌・**蓋**	河南洛陽	北周大成元年（五七九）	Ⅰ類／なし	6時	十干
郁久閭可婆頭墓誌・側	陝西長安	隋開皇十二年（五九二）	Ⅰ類／有	不明	―
段威墓誌・側	陝西咸陽	隋開皇十五年（五九五）	Ⅰ類／有	6時	有（蓋）
馬穉及妻張氏墓誌・**蓋**	河南洛陽	隋開皇二十年（六〇〇）	**Ⅳ類**	6時	十干
史射勿墓誌・側	寧夏固原	隋大業六年（六一〇）	Ⅰ類／有	**3時**	有（蓋）
張寿墓誌・**蓋**	不明	隋大業十一年（六一五）	Ⅰ類／なし	6時	有（蓋）
趙隆墓誌・側	陝西長安	唐貞観十二年（六三八）	Ⅰ類／有	6時	なし
王霊仙墓誌・側	陝西西安	唐貞観十五年（六四一）	Ⅰ類／有	6時	―
李君夫人楊十戒墓誌・側	陝西西安	唐貞観十九年（六四五）	Ⅰ類／有	6時	有（蓋）
劉相墓誌・側	陝西西安	唐貞観二十年（六四六）	Ⅰ類／有	6時	なし
竇誕墓誌・側	陝西咸陽	唐貞観二十二年（六四八）	Ⅰ類／有	6時	なし
阿史那摸末墓誌・側	陝西西安	唐貞観二十三年（六四九）	Ⅰ類／有	6時	有（蓋）
長孫君妻段簡璧・側	陝西礼泉	唐永徽二年（六五一）	Ⅰ類／有	6時	有（蓋）
蘇興墓誌・側	陝西西安	唐永徽四年（六五三）	Ⅰ類／有	6時	有（蓋）
王恭墓誌・側	陝西咸陽	唐永徽五年（六五四）	Ⅰ類／有	**12時**	有（蓋）
王君妻姫氏墓誌・側	陝西西安	唐永徽六年（六五五）	Ⅰ類／有	6時	―
唐倹墓誌・側	陝西礼泉	唐顕慶元年（六五六）	Ⅰ類／有	6時	―
魏倫墓誌・側	陝西西安	唐顕慶三年（六五八）	Ⅰ類／有	6時	有（蓋）
尉遅敬徳墓誌・側	陝西礼泉	唐顕慶四年（六五九）	Ⅰ類／なし	6時	なし
尉遅恭墓誌・側	陝西礼泉	唐顕慶四年（六五九）	Ⅰ類／なし	6時	―

趙王李福妃宇文脩多羅墓誌・側	陝西礼泉	唐顕慶五年（六六〇）	I類／有	6時	有（蓋）
董夫人墓誌・側	陝西西安	唐顕慶六年（六六一）	I類／有	6時	―
膨国太妃王氏墓誌・側	陝西富平	唐龍朔二年（六六二）	I類／有	**9時**	―
杜博義及妻皇甫氏合葬墓誌・側	陝西西安	唐龍朔三年（六六三）	I類／有	6時	―
王昭仁墓誌・**蓋**	河南洛陽	唐麟徳元年（六六四）	I類／なし	乱	―
李震墓誌・側	陝西礼泉	唐麟徳二年（六六五）	I類／有	6時	有（蓋）
王端及夫人蘇氏墓誌・**蓋**	河南洛陽	唐乾封二年（六六七）	I類／なし	**11時**	なし
竇及墓誌・側	陝西銅川	唐咸亨元年（六六九）	I類／有	6時	―
宋禎墓誌・**蓋**	河南偃師	唐神龍二年（七〇六）	**IV類**	6時	なし
宋枯墓誌・**蓋**	河南偃師	唐神龍二年（七〇六）	**IV類**	6時	なし
李嗣本墓誌・**蓋**	河南偃師	唐景龍三年（七〇九）	I類／なし	**12時**	なし
姚懿墓誌・側	河南陝県	唐開元三年（七一五）	I類／なし	**12時**	―
契苾夫人墓誌・**誌面**	陝西礼泉	唐開元九年（七二一）	I類／なし	6時	なし
張山舄及妻母氏墓誌・**蓋**	山西河津	唐開元十一年（七二三）	I類／なし	6時	なし
閻婉墓誌・側	湖北鄖県	唐開元十二年（七二四）	I類／なし	6時	なし
安元寿夫人翟氏墓誌・側	陝西礼泉	唐開元十五年（七二七）	I類／なし	6時	有（蓋）
馮君衡墓誌・側	陝西三原	唐開元十七年（七二九）	I類／有	6時	有（蓋）
嗣韓王李訥墓誌・側	陝西富平	唐開元十八年（七三〇）	I類／有	6時	有（蓋）
李景由墓誌・側	河南偃師	唐開元二十六年（七三八）	I類／有	6時	有（蓋）
張九齢墓誌・**蓋**	広東韶関	唐開元二十九年（七四一）	**II類**（**坐位**）	不明	不明
張去逸墓誌・側	陝西咸陽	唐天宝七年（七四八）	**II類**（**坐位**／拱手）	6時	有（蓋）
張仲暉墓誌・側	陝西涇陽	唐天宝十二年（七五三）	**II類**（**坐位**）	**12時**	―
紀寛墓誌・**蓋**	北京	唐天宝十二年（七五三）	**II類**（立位／拱手）	**12時**	なし
元瓌墓誌・側	陝西西安	唐大歴四年（七六九）	I類／なし	6時	―

趙悦墓誌・**蓋**	北京豊台	唐大歴十二年（七七七）	Ⅱ類（立位／拱手）	6時	なし
曹恵琳墓誌・側	陝西西安	唐大歴十四年（七七九）	Ⅱ類（**坐位**／笏）	6時	有（蓋）
爨公墓誌・**蓋**	四川成都	唐貞元二年（七八六）	Ⅱ類（立位／笏）	6時	なし
宜都公主墓誌・側	陝西西安	唐貞元十九年（八〇四）	Ⅱ類（**坐位**／笏）	不明	なし
秦朝倹墓誌・側	陝西西安	唐元和十二年（八一七）	Ⅱ類（**坐位**／笏）	不明	不明
憲夫人陶氏墓誌・**蓋**	北京豊台	唐大和元年（八二七）	Ⅲ類（立位／動物）	**12時**	―
李夫人墓誌・側	陝西楊陵	唐大和五年（八三一）	Ⅲ類（**坐位**／笏）	6時	―
蘇子矜墓誌・**蓋**	河北宣化	唐会昌四年（八四四）	Ⅱ類（立位／笏）	6時	なし
高克従墓誌・側	陝西西安	唐大中元年（八四七）	Ⅱ類（**坐位**／笏）	6時	不明
董慶長墓誌・**蓋**	北京豊台	唐大中十三年（八五九）	Ⅴ類（立位／動物）	6時	なし

Ⅲ類　人身人頭で、頭上に獣形をのせる（獣付帯人像）
Ⅳ類　文字で十二生肖を刻む
Ⅴ類　立位の文官が胸前に十二支の動物を抱く

〔壁　画〕　前にふれた北斉の婁睿墓をさきがけとするが、その後につづかず、キトラと同時代である唐初期の壁画には十二支を描いた例はない。かなりのちの李景由墓（七三八年）、高力士墓（七六三年）にみえるのみ。敦煌莫高窟第二二〇窟では、十二神将の頭上にのり、仏教美術と融合したとされるが、後述するように疑わしい。この窟は貞観十六年（六四二）に開鑿された。Ⅲ類の出現と評価されるが、いささかことなるであろう。Ⅲ類

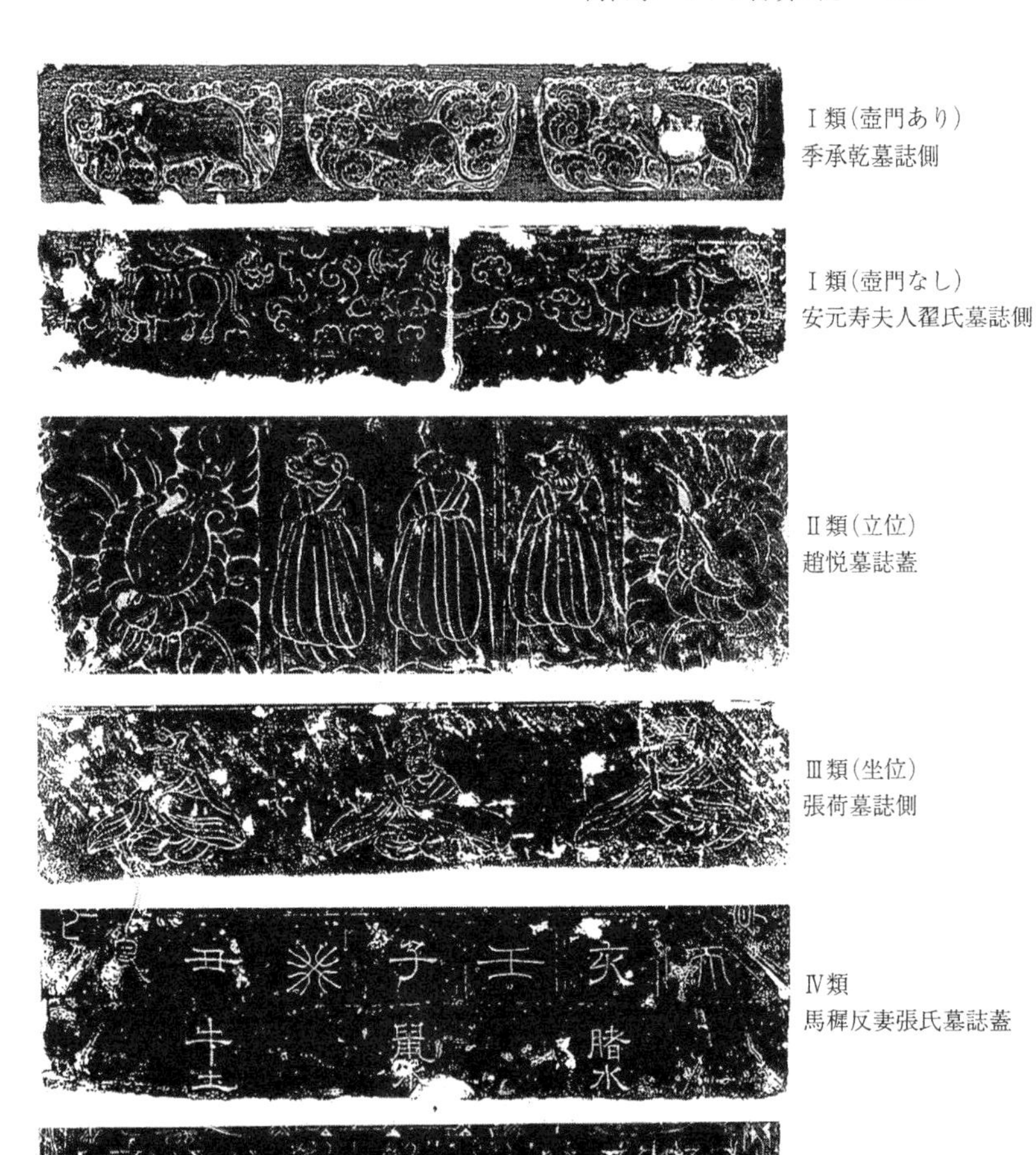

第21図　十二支図像の分類

は人身像で、笏を奉じた文官の姿をしているのである。

〔石　槨〕石槨自体がすくないのであるが、十二支は貞観四年（六三〇）の李寿墓石槨の台座に唯一みとめられる。陳分類のⅠ類である。

〔墓　誌〕墓誌に十二生肖を彫刻する習俗は北周に出現した。宣政元年（五七八）の独孤蔵墓誌側がもっとも古く、大成元年（五七九）の王栄甕妻劉氏墓誌がつづく。隋になると、開皇十二年（五九二）の郁久閭可婆墓誌、開皇十五年（五九五）の段威墓誌などがあり、大業六年（六一〇）の解方保墓誌、同十一年（六一五）の張寿墓誌蓋がそれらにつづく。いずれも線刻で、陳分類のⅠ類に相当する。

北周から唐二期までの諸例を集めてみると、圧倒的にⅠ類が多く、Ⅳ類は隋に一例あるが中断し、七世紀末にふたたびあらわれ、八世紀初頭で消える。Ⅱ類は唐二期も後半、八世紀なかごろになってようやくあらわれた。中国ではこの種を「神化十二生肖」と呼んでいる。Ⅱ類はいずれも胸前に両手で笏をもつ。立位よりも坐位のほうがやや多い傾向があるが、時代差があるとはおもわれない。墓誌石の側面のばあいは坐位で、蓋の斜面（殺、あるいは斜殺という）のばあいは立位という対応がある。表現する空間、すなわち長さによって両者を使いわけている、と理解できよう。墓誌の蓋は截頂方錐台形であるが、時がたつにつれて頂部の平面がその面積をへらし、斜殺が長くなるからであり、唐二期の後半になると、立位のものを表現するに適した空間ができた。キトラの十二支は立位の仲間である。八世紀後半の右の諸例が粉本になったとは考えようがない。Ⅲ類はさらに遅れて、晩唐から五代にかけてはやったものなのである。Ⅲ類の例はすくないが、以下をあげておこう。

李夫人墓誌　大和五年（八三一）　これのみ他より百年ほど古い
張荷墓誌　乾化四年（九一三）
張継業墓誌　同光三年（九二五）
戴思遠墓誌　清泰三年（九三六）
張季澄墓誌　清泰三年

Ⅴ類は大中十二年（八五八）の董長慶（とうちょうけい）墓誌が唯一の例である。立位。

Ⅰ類・Ⅱ類は誌石の四側面に各三支ずつ、格狭間（こうざま）（中国では「壺門（こもん）」という）の内部に彫刻されていることが多い。そのばあい、蓋には四神をあらわすことが多い。逆に十二支を蓋にあらわしたものもあるが、大半は乾封二年（六六七）以降のもので、Ⅱ類とⅣ類とにみとめられる。Ⅰ類で蓋に彫刻したものはほんの数例しかない。契苾（けいひつ）夫人墓誌は例外で、墓誌面にあらわされている。六七五年から六九七年までの例がないことに注目したい。

十二支の配置

中国では、壁画の十二支像はほとんどなく、検討することができない。北斉東安王婁睿(ろうえい)墓に写実的な十二支像があり、循環型とおもわれる。唐代では、かなり遅い宝応元年（七六二）の高力士墓に、屏風式の十二支像がのこる。十二扇からなる画面それぞれに一体ずつ描いてある。北中央に子を置き、時計まわりに配置してある。ほかに、文徳元年（八八八）の僖宗(きそう)靖陵に卯像と午像がのこる。

したがって、十二支図像を研究するにはもっぱら墓誌画像に頼らざるを得ないのであるが、これについても菅谷文則(すがやふみのり)による先行研究がある（「墓誌装飾―四神と十二生肖―」『高麗美術館研究紀要』五号）。

〔墓　誌〕　十二支は子を手前、すなわち六時の位置に置き、そこから時計まわりに三体ずつ配するのがふつうである。子はほんらい上中央にあるべきなのに、そうではないのだ。このことは、あらわされた場が四殺であるか誌側であるかを問わない。まれに始点がずれたものもあるが、その数はすくない。

①十二時の位置から始まる、すなわち一八〇度ずれたもの…王恭墓誌側、李嗣本墓誌蓋、姚懿墓誌側、張仲暉墓誌側、紀寛墓誌蓋および憲夫人陶氏墓誌蓋
②三時…史射勿墓誌側
③九時…膨国太妃王氏墓誌側

④十一時…王端及夫人蘇氏墓誌蓋

以上九例の地域別うちわけは、陝西省三（咸陽、富平、涇陽）、河南省三（洛陽、偃師、陝県）、北京二例（どちらも豊台）、それと寧夏固原一例である。どちらかというと、中心地でないところに多い傾向が指摘できようか。四神のばあいもズレたものが河南に多い傾向が読みとれた。工房のちがいを考慮する必要があるかもしれない。

〔俑〕　俑の十二支は隋になって登場した。加藤真二があきらかにしたように、湖北・湖南においてのことであった（「中国における獣頭人身十二支像の展開」『キトラ古墳壁画十二支―子・丑・寅―』飛鳥資料館）。やがて北方でもおこなわれるようになり、両京地区（西の長安・東の洛陽）で出現するのは開元年間になってからであった。まれに石製があるが、多くは陶製で無釉、焼成後に着色したものである。青磁・三彩が数例、そして鉄製が一例ある。

俑は墓室内の四壁に穿った龕内に安置するか、壁ぞいの床に置いた。どちらのばあいも、棺を見守るように中心にむける。龕は東・西・北壁にそれぞれ三ヵ所穿つが、南には墓門が開くので余地がないこともあり、二～一ヵ所しか設けられない。ほかの俑はどこに置いたのであろう。

河南省偃師の杏園で発見された李景由墓では、四壁の下部、床から四〇チほどの位置から、高さ三〇㌢、幅一〇㌢の細長い龕を設けてあった。北・西にそれぞれ三ヵ所、南に二ヵ所、そして東に四ヵ所である。南壁のぶんを東にもっていったのである。三ヵ所の龕に鉄俑が遺存していたが、どの支なのか報告書には記載がない。

西安東郊で発見された曹氏墓のばあいは、北および東西壁にそれぞれ三個、南壁に二個、計十一の高さ四五㌢～五〇㌢、幅二〇㌢ほどの龕が床面からあけられている。俑はのこっていなかった。

墓室内に壁龕あるものとしては、四川省万県で発見された冉仁才（ぜんじんさい）墓が古い。永徽五年（六五四）の埋葬である。墓室と甬道の壁に、墓底から二・三㍍の高さに十二個の長方形の龕をつくりつけてある。ここに十二支像を置いてもみえないのではないか。ほかに、

唐思礼妻王氏墓　咸通四年（八六三）
楊玄略墓　咸通五年（八六四）
唐思礼妻俞（ゆ）氏墓　咸通十一年（八七〇）
張叔遵墓　咸通十二年（八七一）

などがあるが、いずれも九世紀なかば過ぎの新しい墓である。これらにおいても、南壁の不足分を甬道の両壁を利用することで解決している。

墓室内や甬道の床に置いたばあいは、原位置から動いてしまっていることを考慮せねば

第5表　俑の十二支

墓名	出土地	年代	分類(姿勢／台座)	材／数	高さ(センチ)
周家大湾二四一号墓	湖北武漢	隋(五八一～六一八)	V類(坐位)	陶／11	二九・八～三七・五
馬房山隋墓	湖北武漢	隋開皇三年(五八三)頃	II類(坐位／拱手)	陶／12	二五
隋大業六年墓	湖南湘陰	隋大業六年(六一〇)	II類(坐位／拱手)	陶	三三
〃	〃	〃	III類(坐位／拱手)	陶	二〇
岳家嘴墓	湖北武漢	隋大業年間(六〇五～六一八)	II類(坐位／拱手)	陶／6	最高二九・五
冉仁才墓	四川重慶	唐永徽五年(六五四)	II類(坐位／持笏／方)	青磁／3	一八
桂子山唐墓	湖北武漢	唐武徳～永徽	II類(坐位／拱手／方)	青磁／	
桃花山唐墓	湖南岳陽	初唐	II類(坐位／拱手／方)	陶／6	一八～二二
桐子山唐墓	湖南湘陰	初唐	II類(坐位／拱手)	陶／9	二〇～二三
咸嘉湖初唐墓	湖南長沙	唐武徳年間(六一八～六二六)	II類(坐位／持笏／方)	青磁／12	一四～一六
黄土嶺唐墓	湖南長沙	初唐	II類(坐位／拱手)	陶／10	二〇～二三
牛角塘唐墓	湖南長沙	初唐	II類(坐位／拱手)	陶／12	一七
薛府君墓	北京姚家井	七世紀末～八世紀初頭	II類(立位／拱手／円)	白玉石／5	三〇
黄河路墓	遼寧朝陽	七世紀末～八世紀初頭	II類(立位／拱手／方)	陶／10	一九・六～二二
邢台子墓	河北邢台	八世紀初頭	II類(立位／拱手／円)	複セット	二〇～二二
姚懿墓	河南洛陽	開元三年(七一五)	II類(立位)	石／	
鄭琇墓(杏園M二七三一)	河南偃師	開元二十四年(七三六)	II類(立位／拱手)	陶／12	二〇・一～二四・三
孫承嗣夫婦墓	陝西西安	開元二十四年(七三六)	II類(立位／拱手／円)	陶／12	二一・五～二五・八
李景由墓(杏園M二六〇三)	河南偃師	開元二十五年(七三七)	II類(立位／拱手)	鉄／12	二六
楊思勗墓	陝西西安	開元二十八年(七四〇)	II類(立位／拱手／円)	陶／7	六六・五～六〇・五
李元徹夫婦墓	河南偃師	開元二十九年(七四一)	II類(立位／拱手)	陶／12	一七・五

姚橋頭墓	江蘇呉県	天宝二年(七四三)	Ⅱ類(立位/拱手)	陶/1	三〇
史思礼墓	陝西西安	天宝三年(七四四)	Ⅱ類(立位/拱手/円)		
底張湾唐墓	陝西咸陽	天宝三年(七四四)	Ⅱ類(立位/拱手/**頸長**)	陶/12	三九〜四二
雷府君夫人宋氏墓	陝西西安	天宝四年(七四五)	Ⅱ類(立位/?)	陶/12	三八〜四三
崔悦墓(杏園M一二〇四)	河南偃師	天宝四年(七四五)	Ⅱ類(立位/拱手)	陶/12	?
陝棉十廠唐墓M七	陝西西安	天宝四年頃	Ⅱ類(立位/拱手/円)	陶/11	三・五〜二三・九
范陽盧夫人墓	河南洛陽	天宝九年(七五〇)	Ⅱ類(立位/拱手)	陶/12	一九
アスターナ二一五号墓	新疆吐魯番	天宝年間	Ⅱ類(立位/拱手/方)	土彩色	
西安郊区四〇六号墓	陝西西安	盛唐	Ⅱ類(立位/拱手/円)	陶/8	二三〜二七
五二六号墓	陝西西安	盛唐	Ⅱ類(立位/拱手/円)	陶/1	二三〜二七
五五七号墓	陝西西安	盛唐	Ⅱ類(立位/拱手/円)	陶/2	二三〜二七
五七二号墓	陝西西安	盛唐	Ⅱ類(立位/拱手/円)	陶/3	二三〜二七
龐留村墓(清源県主)	陝西西安	至徳三年(七五八)	?(/**頸長**)	陶/6	?
潁川陳氏墓	河南洛陽	中唐早期	Ⅱ類(立位/拱手)	陶/12	一八〜二五
司徒廟鎮唐墓	江蘇揚州	中唐	Ⅱ類(立位/拱手)	三彩/9	二〇・五〜二三・五
高郵車邏唐墓	江蘇揚州	中唐	Ⅱ類(**坐位**/拱手/**頸長**)	三彩/11	二三前後
杏園M二五〇三	河南偃師	中唐	Ⅱ類(立位/拱手)	陶/12	一八・二
西安市郊	陝西西安	中唐	Ⅱ類(立位/拱手/**頸長**)	陶/12	?
西昌県令夫人史氏墓	陝西西安	貞元十一年(七九八)	Ⅱ類(立位/拱手/**頸長**/円)	陶/12	二〇・一〜二七・〇
邗江楊廟唐墓	江蘇揚州	中晩唐	Ⅱ類(**坐位**/**持笏**)	陶/14	不明
西安郊区四一一号墓	陝西西安	中晩唐	Ⅱ類(立位/拱手/**頸長**)	陶/10	一八・九〜二三
皇甫雲墓(陶典墓)	江蘇無錫	唐咸通八年(八六七)	Ⅱ類(**坐位**/拱手/**頸長**)	陶/12	二一〜二三・三
薛瑜墓(下忠墓)	福建廈門	晩唐	Ⅱ類(立位/拱手/**頸長**)	陶/9	九・二〜一四
粛宗建陵	陝西禮泉	文徳元年(八八八)	Ⅱ類(立位/**持笏**/方)	石	四二

なるまい。江蘇（こうそ）省揚州司徒廟鎮墓においては、三彩（さんさい）の十二支俑が九体発見され、そのうち六体がほぼ原位置を保っているようにみえる。

なお、陝西省礼泉県に所在する粛宗建陵においては、石製の大型俑が城門の周囲で発見されている。門の基壇に立てていたのではなかろうか。建陵の造営はさらに遅れて文徳元年（八八八）である。

キトラの方が遅い

百橋明穂は、キトラが高松塚より後出であると考えた。十二支像にかんするかぎり彼の考えが妥当であるとおもわれるので、その根拠を引いてみよう。百橋は五点あげている（「キトラ古墳壁画の美術史的位置」『仏教芸術』二九〇号）。

①まず四神のむきについて。高松塚では青龍・白虎がともに南面するのにたいして、キトラでは時計まわりに配している。前者は薬師寺の薬師如来台座にちかく、後者は正倉院十二支八卦背円鏡（じゅうにしはっけはいのえんきょう）と同様である。キトラの四神図は日本的な解釈や感性が加味された絵画といえる。

②技法の面では下絵のうつしかたを問題にする。高松塚では下がき線の転写がない。これにたいしてキトラでは線条痕がみとめられ、ヘラで上からなぞって圧痕をつけた。法隆寺金堂壁画とおなじである。

③天文図について。キトラは高松塚よりはるかに詳細である。
④十二支像のもちものに十二神将の影響がみとめられる。これは新しい要素。
⑤線描の成熟度でキトラが優る。

百橋は以上の諸点から、高松塚が先行し、キトラがあとと考えるのが自然であるとした。そして高松塚に八世紀初頭、キトラに八世紀第Ⅰ四半期という年代をあたえた。しかしいぜんとして、キトラ十二支の粉本候補は俑以外にみあたらないし、キトラにあたえた実年代の根拠は薄弱である。立位の十二生肖像（陳Ⅱ類）は、墓誌においても俑のばあいも、開元年間の後半すなわち七三〇年代にようやく出現したのであって、唐の図像からまなんだとすれば、キトラの年代はかなりさがることになる。この点について多くの研究者は等閑視してきたが、無視できない事実である。

〔十二神将像との関係〕　本節の冒頭に、キトラ十二支像の特徴として、すべて右手に武器か武具をもつ、顔と体を右にむける、という二点をあげた。かなり動的なのであって、このような姿態は唐には例がない。中国の十二支俑は、坐像・立像の区別なく正面形であり、文官の朝服を身に着け、拱手（きょうしゅ）するか持笏（じしゃく）しており、静的な姿である。

鐘方正樹（かねかたまさき）、加藤真二、百橋明穂らは、キトラの十二支像が武器を所持しているところから、十二神将との関連を説く。その根拠は、敦煌莫高窟第二二〇窟の北壁壁画に獣冠をかぶった十二神将像が描かれている点にある。この窟は初唐の貞観十六年（六四二）に開鑿(かいさく)されており、この時期にすでに人頭人身で頭上に十二支とおもわれる獣形を載せているとみるのである。

この窟の壁面は宋代の壁画によって覆われていたが、表層をはがして初唐の「薬師浄土変相」を発見したのである。七体の仏立像の左右に、各六体にわかれて神将が描かれている。頭上に蛇・龍・兎などの動物をかたどった冠をかぶっており、「仏説薬師如来本願経」中に説かれている十二神将とみなせるというが、壁画のカラー写真をいくら注視してみても、十二支像は認め難(がた)い。最初に冠上の獣の存在を指摘した鄧健吾(とうけんご)も「残念ながら冠の部分に剥落が多く、この動物が十二支獣に対応するかどうかは確認することができなかった」と述べている（「敦煌莫高窟第二二〇窟試論」『仏教芸術』一三三号）。なお、この経は隋大業十二年（六一六）に訳された。

たしかにこの壁画の存在は無視できないところではあるが、一例だけ、しかも不確実な図像に依拠して普遍化するには無理がある。十二神将とのかかわりについては不明といわざるを得ない。

出土遺物の再検討

金銅装透彫飾金具

高松塚古墳から第22図にしめしたような、直径一〇・九チセンの花形透彫飾金具が出土した。中央に細弁の蓮華紋をおき、その中央に径〇・八チセンの円孔をあける。その孔をめぐって外にひらくC字形を八個連接し、一番外側に逆ハート形を八個ならべ、そのあいだをちいさな花紋で埋めてある。表面には鍍金が部分的にのこり、裏面には漆で接着した痕跡がある。出土位置と中央の孔などから棺の小口にとりつけた鐶座金具と考えられている。鍍金とは金メッキのこと、青銅の地に金メッキしたものを金銅という。

この花紋の構成原理や名称については、さまざまな説が提出されてきた。たとえば、上原和は「山形の弁間充塡をもつ特異な複合八葉文」すなわち「竜文形唐草」であるとし、

第22図　高松塚出土八花形飾金具（1/2）

長廣敏雄は、かつて中国で「菱花文」と呼ばれていたもので、これが発展したものが「宝相華文」であり、この金具は「複合パルメット八弁文様」と呼ぶべきとした。網干善教は「文様構成は単位文として花文、葛形裁文、そして葛形裁文を基本図形とした心葉文よりなる」として「複合心葉華文」と仮称した。「C形の文様については、正倉院御物金銀鈿荘唐大刀の透金具の文様との比較において葛形裁文という名称を用いることにした」と述べ、C字形の紋様単位を「葛形裁文」とするのである。

わたしと袁香はこの種の花形を「団華紋」と呼び、外側の花弁を構成しているハート形状の弁を「対葉花」、また一つ一つの対葉花をつなぐために配したC字形を、タンスの鐶（とって）に似ているので「連鐶」と名づけて、その構成原理を再検討した（「対葉花紋の研究」『古事　天理大学考古学・民俗学研究室紀要』十三冊）。

〔対葉花紋〕「対葉花紋」とは、一九四一年に源豊宗が、東大寺法華堂本尊の台座および光背（こうはい）の紋様にかんして命名したものである。源は「殊に蓮弁に浮彫された一種の対葉花文は一入この台座を美しく見せてゐる。これにもまして壮麗なのは其の光背であらう。（中略）其の間に塡充された透彫の対葉花文によつて極めて典雅な趣を呈してゐる」と述べて、これを天平（てんぴょう）美術を特徴づける装飾紋様の一種と位置づけた。本書では「文」を「紋」に替えてこの語をもちいる。

〔対葉花紋の構成と用語〕　いままでにも対葉花紋を対象とした研究はあったけれども、総合的にあつかい、その意義を高めた研究はとぼしかった。そこで、わたしと袁は年代がわかる中国の墓誌に彫刻されたものを中心に、対葉花紋について検討してみた。対葉花紋は唐草の中心飾りとなったり、展開の中で付加されたり、末端にもちいられたりする。また、放射状にならべて団華紋を形成することもある。さして目だった存在ではないが、初唐期に限定できるため、ほかの遺物などの年代を想定するうえで重要な単位紋様と考えられるからである。

対葉とは、葡萄（ぶどう）あるいは柏などの葉の先端を上にして、両手の掌をすぼめるようにして内彎（ないわん）させ、これらを二枚左右からさしかけて、指先が接するようにあわせて空間をつくったものである。この部分だけを「対葉」と呼ぶ。ただし、対葉を単独でもちいることはすくなく、対葉の下には、頭を上にして腹部を内側にした勾玉（まがたま）様のものが二つあって対葉の

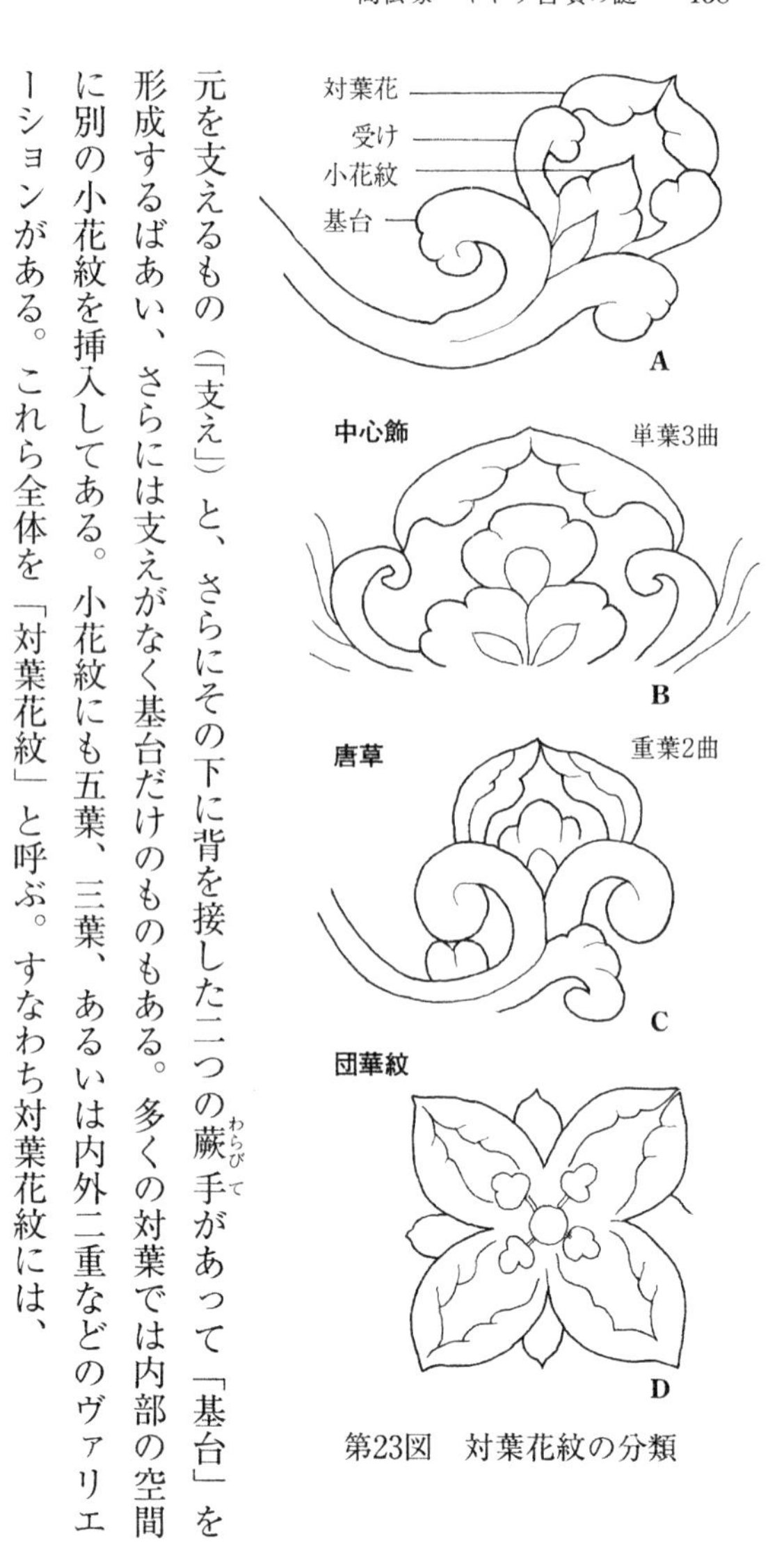

第23図　対葉花紋の分類

元を支えるもの（「支え」）と、さらにその下に背を接した二つの蕨手（わらびて）があって「基台」を形成するばあい、さらには支えがなく基台だけのものもある。多くの対葉では内部の空間に別の小花紋を挿入してある。小花紋にも五葉、三葉、あるいは内外二重などのヴァリエーションがある。これら全体を「対葉花紋」と呼ぶ。すなわち対葉花紋には、

A類　対葉＋受け＋基台
B類　対葉＋受け
C類　対葉＋基台

D類　対葉のみ

の四様があることになる。C類は後述する団華紋タイプのばあいに多い。なお、少数ではあるが基台の下にむすびめをもつものがある。中国ではこの類を「桃形花結（はなゆい）」と呼ぶ。

当初は、巻きこんだ葉裏の内側に葉表がのぞいている。この類を「重葉」と呼ぶ。じょじょに葉表がみえなくなるように葉裏がかぶさり、とうとう中央葉脈のところで葉をふたつに折りたたんだか、あるいは葉を半裁したようになる。葉裏だけがみえる形で、これを「単葉」と呼ぶ。

もうひとつの変化は葉縁の形にあらわれる。葉縁は何段かの彎曲をくりかえすが、当初は葉縁の曲線が多く、じょじょにすくなくなり、三曲でいったん安定するが、さらに減じて最終的には二曲となる。

対葉の内部の空間にはちいさな花形を入れる。五葉花や三葉花が単独でおかれるばあいと、あるいは五葉＋三葉、三葉＋一葉のように花形が二重構造となったばあいとがある。すべて「小花紋」と呼ぶ。

中心飾りに採用された対葉花紋のばあい、当初は左右に唐草が展開した。ところが七〇六年をさかいに（唐第二期になると）、唐草が派生せず、中心飾りだけを単独においたり、上下にむきをかえながらつづけて並置するようになる。このようなものを「独立」したと表現する。

団華紋タイプのばあい、ひとつひとつの対葉花紋をつなぐための半環状のものを配する。これを「連鐶（れんかん）」と呼び、さらに上方にひらくものを「上連鐶」、下方にひらくものを「下連鐶」とする。連鐶が出現するのは懿徳太子墓からで、ほかに敦煌莫高窟に豊富に存在する。

以上のように規定したうえで、全体の構成がA類であるかあるいはB、C、D類であるか、重葉か単葉か、曲数の多少、などが年代差とかかわるかを検討してみよう。

〔年代がわかる中国の対葉花紋と変化の方向〕　公表された拓本・写真などのうち年代の確実なものを集成してみた。墓誌、舎利（しゃり）容器や葬年が知られる墓の石槨、壁画などに表現されたものたちである。そのうち実際に観察できたのは三割程度にすぎず、小さなそして不鮮明な図のばあいは危険性大ではあることを承知のうえ、それらの特徴を年代順にならべてみた。その結果、おおよその変化の方向がみえてくる。すなわち重葉→単葉、曲数多→少、唐草に組みこまれたもの→独立したもの、といった傾向である。さらには彫刻技法も変化したとおもわれる。尉遅敬徳（うつちけいとく）墓誌が初現で、顕慶三年（六五八）のこと、大暦十年（七七五）の王嬬墓誌が最終例となる。

以上のような変化を総合すると、Ⅰ期からⅣ期までの四時期に区分できそうだ。

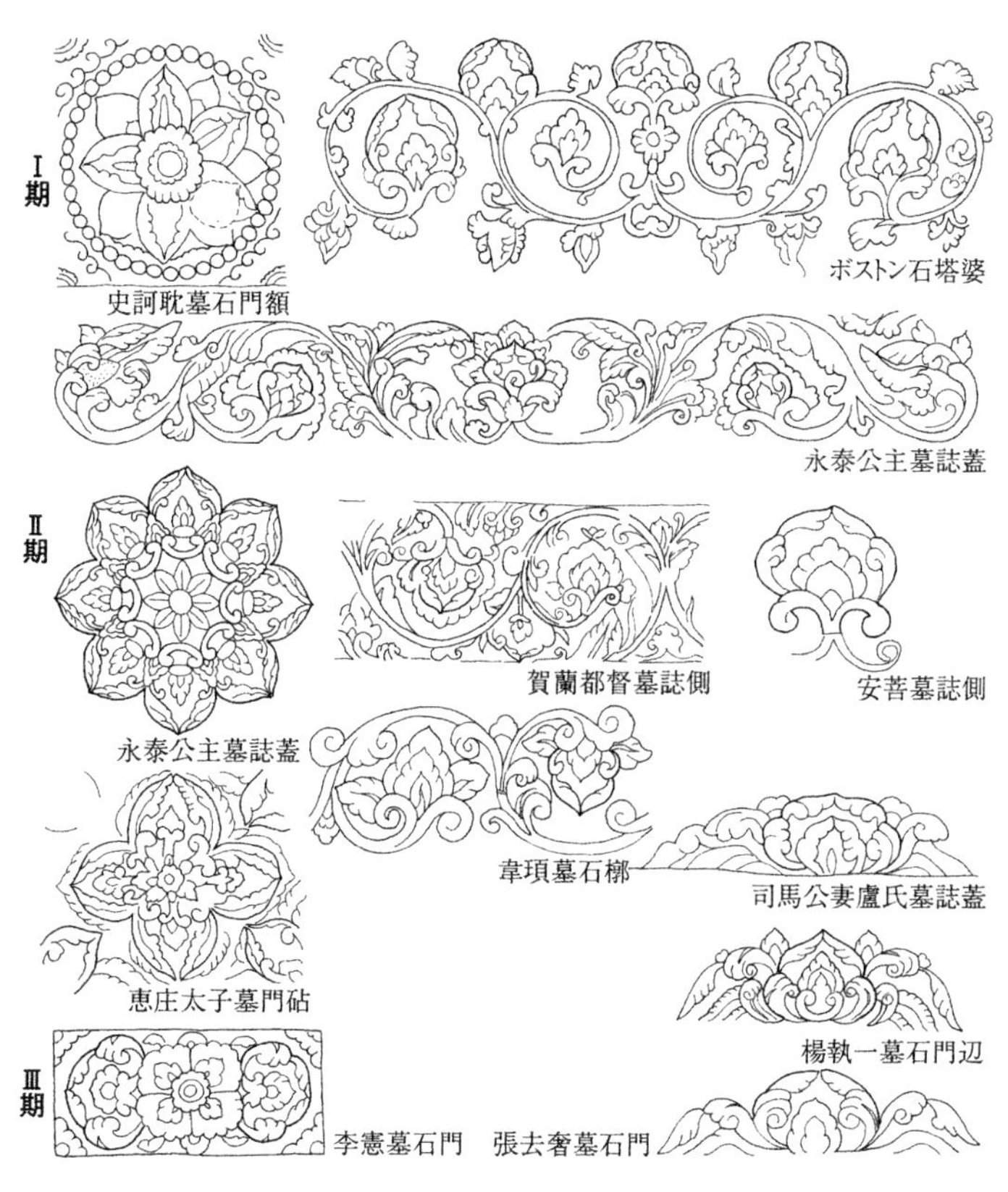

第24図　対葉花紋の変化

Ⅰ期；史訶耽墓石門額，ボストン石塔婆，Ⅱ期；永泰公主墓誌蓋，賀蘭都督墓誌側，安菩墓誌側，韋頊石槨，司馬公妻廬氏墓誌蓋，Ⅲ期；恵庄太子墓門砧，楊執一墓石門辺，李憲墓石門，張去奢墓石門

Ⅰ期は顕慶三年から龍朔元年（六六一）まで。対葉花紋の揺籃期で、まだ完全に対葉花紋にはなりきっていないので、対葉花紋にふくめるべきではないかもしれない。唐草の末端処理にもちいられている。彫刻技法は浅浮彫である。

Ⅱ期は咸亨元年（六七〇）から神龍二年（七〇六）まで。単葉二曲のばあいもあるが、多くは重葉三曲で、比較的写実的な葉である。構成としてはAが多く、Dはこの期にのみ存在する。彫刻技法は剔地線刻が多く、たんなる線刻もある。

上にたいしてⅢ期、神龍二年から開元十七年（七二九）になると単葉が多くなり、重葉は永泰公主墓・恵庄太子墓だけにある。墓主人の身分とかかわりがあるだろうか。構成の基本はAであるが、基台を有するCもある。対葉花とその根元の「花結」だけが分離して唐草が派生しないものがふえる。彫刻技法はほとんどすべて線刻である。

開元十二年（七二四）以降のⅣ期ではほとんどすべてが独立式となり、構成はすべて受けだけのBとなった。基部が横にひろがって全体としてひらたくなるものがおおい。対葉花紋の原則がくずれはてた段階である。

以上の分期は、本書の「四神にまつわる諸問題」の節でおこなった唐代壁画墓のものとほぼ対応する。

〔高松塚透彫金具の位置づけ〕　右のように対葉花紋の変化をとらえておけば、年代が不明の器物であっても、対葉花紋の型式によっておおよその年代を知ることが可能となろう。きわめて地味な紋様ではあるが、応用範囲がひろいのである。まず、中国のばあい、対葉花紋があれば顕慶三年（六五八）から大暦十年（七七五）のあいだのものと判断してまちがいない。ついで、Ⅱ期からⅣ期のいずれかと比較すれば、おおよその年代が想定できるであろう。

高松塚の飾金具のばあい対葉花紋は八単位あって、ほかの要素をくわえて全体として団華紋を形成している。B類単葉三曲、根元を上連鐶で連結してある。連鐶が出現するのは、中国においては懿徳太子墓・永泰公主墓（七〇六年）からで、ほかに敦煌莫高窟に豊富に存在する。新羅の瓦塼に多くみえる対葉花団華紋にはこの連鐶は欠けている。

高松塚の飾金具は永泰公主墓の諸処にあらわされた対葉花団華紋ときわめて似ており、神龍・景龍年間から開元にかわるころに位置づけ得る。つまり七〇六年から七一三年くらいである。対葉花紋のようなマイナーな装飾要素も伝わってきたことを等閑視してはいけない。

その他の出土遺物

〔海獣葡萄鏡〕　高松塚から出土した海獣葡萄鏡の同型鏡が十一面知られている。面径一七・八センチから一六・四センチ、奈良文化財研究所飛鳥資料館『海獣葡萄鏡研究図録』（東アジア金属工芸史九）によると、陝西省西安の独孤思貞墓、おなじ西安十里鋪三三七号墓、河南省芝田一四六号墓、陝西省安康県嵐河区から出土したもののほか、和泉市久保惣記念美術館蔵鏡、飛鳥資料館蔵鏡、遼寧省博物館蔵鏡、三塊堂蔵鏡、含水居三二号鏡、そして個人蔵鏡二面である。高松塚以外は中国で出土したものとされる。

同型鏡とは、おなじ原型をもちいて複数の笵（雌型）をつくり、おのおのに溶かした原料を流しこんで製作した鏡のこと。ひとつの笵から複数の鏡をつくったばあいは同笵鏡と呼ぶ。

これらのうち独孤思貞墓は、墓誌により六九七年に埋葬、翌六九八年に改葬されたことが知られる。鏡はこれより前につくられたことになり、高松塚古墳の年代や墓主人推定の根拠とされてきた。しかし、同型鏡が出土した西安十里鋪三三七号墓のばあいは、墓の型式や出土遺物から、中唐（唐第三期）の墓であると考えられている。同型鏡は、原型さえあればいつでもつくることができるのであり、これによって出土した墓の年代をきめることには慎重であるべきである。

〔銀製刀装具〕現存するのは、把の冑金、手貫緒の露、帯執の山形、石突などで、すべて銀製鏨彫、鍍金はない。刀装具の材質には官位にもとづいて差があり、金装（純金あるいは銀地鍍金）を最高とし、銀装はこれに次ぐ。

さて、右のうち帯執の山形金具は二点あり、東大寺献物帳に「唐」もしくは「唐様」大刀について記した「山形葛形裁文」に相当するとの末永雅雄の考察がある（『壁画古墳　高松塚』奈良県教育委員会・奈良県明日香村）。金具は山形のなかに唐草紋をいれ、それを背景に一頭の見返りの走獣を配してある。

〔土　器〕　高松塚古墳から飛鳥Vの土器が版築土内から出土している。藤原宮の時期、すなわち六九四年から七一〇年の平城遷都までに位置づけ得る土器である。

〔漆塗木棺〕　漆塗木棺は、高松塚・キトラ以外に、石のカラト古墳・マルコ山古墳・束明神古墳・御嶺山古墳などで出土しており、現在のところ天皇陵クラスにはみられず、皇子クラスの墓主人が想定されている。天皇およびそれに匹敵する身分の高い人物には、聖徳太子墓（叡福寺北古墳）・牽牛子塚古墳・天武持統陵（野口王墓）・阿武山古墳などでみつかった夾紵棺（布で形をつくりつつ漆で固めてつくった棺）がもちいられた。

〔人　骨〕　高松塚・キトラ両古墳から、すくないながらも人骨がみつかっており、形質人類学の専門家が分析している。

高松塚から出土した人骨は、島五郎の鑑定によると、一体の遺骨であり、筋骨発育の良好な身長一六三センチほどの熟年男性の可能性が高いという。頭蓋骨がほとんどのこっておらず、逆に頸部の諸骨はほぼすべてのこっている点が不可思議であるとする。再葬である可能性を示唆しているのではなかろうか（この点についてはのちほど検討する）。熟年男性であれば、二十五歳で死を賜った大津皇子は、該当しないことになる。

キトラから発見された人骨を鑑定したのは片山一道（かたやまかずみち）。こちらも一体分で、当初は熟年男性（四十～六十歳）の可能性が高いとされたが、熟年の後半から老年の初頭（五十～六十歳代）あたり、と変更された。頭蓋骨からは偉丈夫（いじょうふ）な人物の遺骨であると想定でき、生前、歯の健康状態がはなはだわるい人物の遺骨である、という。

石槨の謎と二人の女帝

石槨の謎

前章までにのべた壁画の様式や内容、出土遺物がしめす年代にくわえ、墳丘（ふんきゅう）の形状・築造法、石槨（せっかく）の型式などを総合的に勘案して、高松塚の年代は議論されてきた。ところが、四神（ししん）の姿勢を分析してみると、キトラ・高松塚に古い要素をみとめる結果となり、逆に青（せい）龍（りゅう）・白虎（びゃっこ）の指の本数や十二支の存在は新しいことをしめしていた。さて、これをどのように解釈するかという問題に直面したのである。原則的には、新しい要素を優先させるべきである。本章以下においては、唐代における石槨のあつかわれ方を分析し、時代背景を「二人の女帝」という観点から再検討してみる。そして「中央と周辺」のかかわりを軸にキトラ・高松塚をとらえなおしてみたい。

なお、高松塚・キトラの石製葬具について、これを石棺、石槨、石室のいずれと考えるか、という問題がある。内部に漆塗木棺をおさめているのだから石棺とは呼べない。室といえば、そのなかで人が自由に動きまわれるひろさが必要である。高松塚・キトラのばあいはいずれでもなく、木棺をおおう外護施設であるから、石槨ととらえるべきであろう。

ここで注意しておきたいのは、高松塚・キトラをふくめて、日本の石槨は短辺、すなわち小口に出入り口がある「妻入（つまいり）」であるが、中国の石槨はみな長辺に入口のある「平入（ひらいり）」である点だ。日本では「横口式石槨」と呼ぶのがならわしだが、おかしな用語なのである。

一方石棺床とは、墓室の床の一部に切石を敷いて一段高くし、外周部に縁石を立てた、棺をおくための長方形の壇である。磚（せん）で築くばあいもある。

唐の石室・石槨と石棺

中国唐の制度では、石をもちいた墓室と葬具すなわち石室・石槨・石棺の使用と、色絵を描いたり彫刻することは、基本的に禁じられていた。『通（つ）典（てん）』巻八十六凶礼に、

大唐制、諸葬不得以石為棺槨及石室、其棺槨皆不得彫鏤彩画、施戸牖欄檻。

（石を以て棺槨及石室と為すこと、棺槨に彩画を彫ることを禁止し、戸牖（とゆう）〈まど〉欄檻（らんかん）を施すのみとする）

とある。たしかに唐代の石棺はきわめてすくなく、石棺と呼ばれているものはみな棺形の石製舎利（しゃり）容器である。たとえば藤井有鄰館（ゆうりんかん）所蔵品は身の長さ五四・五チセン、泉屋博古館（せんおくはくこかん）所蔵

品は四二・四センチで、後者には「南柏林弘願和尚身槨」の題記がある。槨と呼んでいるが、実態は内部に金銅製などの舎利容器をおさめるためのいれものなのである。河北省張家口市宣化区で発掘された「唐代石棺墓」の石棺も同類である。また、北朝においてさかんに用いられた囲屛石牀も、唐初をまたずにすがたを消した。にもかかわらず、石槨と石棺床は太子・公主や正二品までの皇室貴顕・功臣などの葬具としてかなりの数が採用され、多くの石槨・石棺床には彫刻が、またまれに彩絵がみとめられる。これにはなんらかの理由があったはずである。石槨および石棺床を採用した墓をそれぞれ十九例、十七例集成し、その属性を第6表にまとめてみた。これだけの数では議論する材料としては不足かもしれないが、なにかがうかがえる可能性もある。いろいろな角度から分析してみよう。

なお、隋代にはまだ石棺が存在した。開皇二年（五八二）に亡くなった李和墓（陝西省三原県）の石棺は、底部の長さ二・三五メートル、前部の高さ一・一六メートル、後部の高さ〇・九九メートルであり、成人をおさめるに十分な大きさがある。一方、大業四年（六〇八）に九歳で夭折した李静訓墓（陝西省西安市）の石棺は、殿堂を模した唐代の石槨にちかい形をなすが、長さ一・九二メートル、高さ一・二二メートルと小型で、周囲を板石で構成した外護施設でかこわれていた。これも石棺とみなすべきであろう。

石槨は、中国では「石室」とならんで「石棺」と呼ばれることもある。たしかにこの種の葬具の内部に木棺の痕跡はなく、槨内の座板上に直接遺骸を置いた可能性が高い。したがって、李静訓墓のばあいとおなじように大型の石棺とみなすべきかもしれない。しかし、『太原隋虞弘墓』が指摘しているように、棺は蓋を開けて遺骸を入れたあとにとざす式だが、石槨には門があり、ここから出し入れする式で、内部には基座があり、この上に遺骸をのせる。やはり石槨と呼ぶのが妥当であろう。なお、西安市で発見された史君墓の発掘概報は、出土した漢文題記に「大周□（涼）州□（薩）保史君石堂」とあるところから、「石堂」と呼んでいる。本例は北周代のもので、題記にはソグド文字が併記されている。

唐の石槨と石棺床

石槨十九例のうち大きさがわかるのは十二例にすぎないが、あまり差はなく、ほかとくらべてかなりちいさいのは、被葬者不明の耀県薬王山ＹＭ１をのぞけば、韋洞墓と楊会墓だけである。韋洞墓の葬具は長さ二・六メートル、廡殿頂（寄棟造）の殿堂形で、外壁に線刻画があり、石槨とみなし得る。楊会墓のばあいは、長さ二・五メートル、房屋型で屋根は歇山頂（入母屋造）、内壁を彩絵で、外壁は彫刻と彩絵を組みあわせてかざってある。にもかかわらず、概報は「石棺」と記す。たしかに、長さ二・五メートルしかないのである。内法はもっとちいさい。身長一・六メートルの人を入れた棺をおさめるにはいささか心もとない。陝西省靖辺県という陝西省西北辺に墓を築いた理由もわからない。ただし、後の考察ではこれを石槨とみなしている。薬王山で発見されたＹＭ１墓

墓全長	石門	墓室長前／後	石槨長／幅／高	頂	死因
44.4	○	単室3.8	3.55/1.85/2.2	歇山頂	病故54歳
53	×	**双室**不明	3.2/1.7/1.9	不明	不明
不明	○	**双室**2.8/4.1	不明	不明	病故69歳
39.5	×	単室3.6/4.2	3.3/1.84/1.65	廡殿頂	病故87歳
不明	不明	**双室**	不明	不明	病故63歳
57.8	○	**双室**3.6/4.1	不明	硬山頂	病故55歳
100.8	○	**双室**4.5/5.0	3.75/3/1.87	廡殿頂	**被武則天杖殺**19歳
87.5	○	**双室**4.7/5.4	3.82/2.75/1.4	廡殿頂	**被武則天賜死**17歳
71	○	**双室**4.5/5.0	4/3/2	廡殿頂	**流放後自殺**31歳
約50	○	**双室**3.3/4.2	不明	拱頂	**流放後被殺**
41.5	○	**双室**3.2/4.2	不明	廡殿頂	**流放後被殺**
39.5	○	**双室**3.3/4.3	**2.6**/1.7/1.7	廡殿頂	**流放後被殺**16歳
不明	○	**双室**3.2/4.2	不明	不明	**流放後被殺**
46.85	○	単室4.7	3.63/2.19/0.37	廡殿頂	病故42歳
23	×	単室3.5	3.20/1.90/	廡殿頂	病故49歳
不明	不明	不明	**2.50**/1.72/1.74	歇山頂	病故68歳
不明	×	単室	3.52/2.28/1.94	廡殿頂	病故87歳
59	○	単室5.7	3.96/2.35/2.25	廡殿頂	病故63歳
不明	○	単室4.4	不明	不明	病故
不明	○	単室4.44	**2.68**/1.58/1.04	廡殿頂	不明

第6表　唐代石槨一覧（単位メートル）

墓主名(陪葬陵)	皇室関係	封号	職級	埋葬年代
李寿(永康陵)	高祖従弟	淮安靖王(従一品)	司空，**上柱国**	貞観4年(630)
鄭仁泰(昭陵)		同安郡公(正二品)	右武衛大将軍，**上柱国**	麟徳元年(664)
韋圭(昭陵)	太宗貴妃			乾封元年(667)
賨及墓		なし	石州离石府右果毅都尉	咸亨元年(669)
燕妃(昭陵)	太宗徳妃			咸亨2年(671)
李某(献陵)	高祖六女	房陵大長公主		咸亨4年(673)
李重潤(乾陵)	中宗長子	懿徳太子		神龍2年(706)
李仙蕙(乾陵)	中宗七女	永泰公主		神龍2年(706)
李賢(乾陵)	高宗六子	章懐太子		神龍2年(706)
韋洵	韋后大弟	汝南郡王(従一品)	贈吏部尚書	景龍2年(708)
韋浩	韋后二弟	武陵郡王(従一品)	揚州大都督	景龍2年(708)
韋泂	韋后三弟	淮陰郡王(従一品)	衛尉卿，開州大都督	景龍2年(708)
韋氏	韋后十一妹	衛南県主		景龍2年(708)
薛儆	睿宗女婿	岐州刺史(正二品)	殿中省少監	開元8年(720)
李氏	高祖孫女	金郷県主(正二品)		開元12年(724)
楊会		なし	左羽林飛騎，**上柱国**	開元24年(736)
楊思勗	宦官	虢国公(従一品)	驃騎大将軍，**上柱国**	開元28年(740)
李憲	睿宗長子	譲皇帝	〔恵陵〕	開元29年(741)
李琮	玄宗長子	奉天皇帝	〔斉陵〕	至徳元年(756)
耀県薬王山YM1		不明		開元年間頃

の葬具もこれに似ている。長さ二・六八メートル、屋根は廡殿頂であるが、門がなく、屋根で蓋をする式なので、本例は石棺とみなすべきかもしれない。

〔石槨墓主人の身分〕　石槨を葬具とする墓主人について、『唐金郷県主墓』は九例をもとにつぎのように考察した。二群にわけてとらえるのである。

第一群は死後の特殊待遇によるもの。

李重潤・李仙蕙は中宗韋后の長子・七女であり、武則天（則天武后）に厭われて非業の死をとげたが（七〇一年）、七〇五年武則天が没し中宗が復位するとともに、太子号・公主号を追贈され（懿徳太子・永泰公主）、厚礼改葬された。双室磚墓と石槨を使用し、しかも墓を陵と呼ぶようになった（「号墓為陵」）。高宗武則天の二子である李賢のばあいはすこしだけ異なり、太子号の追贈（章懐太子）と双室石槨の採用はおなじだが、「雍墓不称陵」であった。韋洵・韋泂は太宗貴妃韋圭の弟で、妹の韋城県主・衛南県主とともに湖北省へと流放され、殺されたが、韋后の復権により京に帰葬され、王に列せられた。

第二群は生前の功績によるもの。

鄭仁泰は、両唐書にその伝はないが、李世民（太宗）の親兵頭目で、太原挙兵と玄武門の変に際して功績があり、唐王朝および太宗の権力確立の元勲であった。昭陵に陪葬された。楊思勗は宦官で、玄宗の恩寵厚く、八十七歳で死んだ。生前、その性「残忍好殺」、兵権をにぎり、韋后の乱にさいして功があった。鄭仁泰と楊思勗ならびに楊会という、皇室とはなんの関係もないのに石槨をもつ者たちは、いずれも「上柱国」という官職（正二品）についていた。これは勲官である。李寿のばあいは別格で、年代的にもぬきんでて古く、淮安靖王、上柱国で「詔贈司空」のちに永康陵に陪葬された。石槨がはじめて採用されたことになるが、なぜ李寿墓に、という疑問が生じる。墓誌は亀形で、石槨の彫刻も壁画も非常にすぐれているのだ。概報は、李和墓（五八二年）・独孤羅墓（六〇〇年）・姬威墓（六一一年）と共通性が多いので、隋の遺制によったため、とする。そもそも石槨は、漢代までさかのぼるような伝統的な葬具ではなく、北魏大同期にあらたに出現したもので、採用したのは地方長官クラスであった。大同智家堡墓、宋紹祖墓、寧懋墓などで、これらの屋根はいずれも拱頂（切妻造）で、漢代の祠堂をおもわせる。以後、北斉・北周・隋にかけて、石槨を簡略化した囲屏石牀とともにかなり愛好され、とくに虞弘・史君などソグド出身者の墓に採用された点が注目される。これらは歇山頂、すなわち殿堂型である。なぜ、唐代になって石槨を王侯墓の葬具として採用したのだろうか。

『唐金郷県主墓』はあつかっていないが、石槨を葬具とする墓がまだ存在する。韋圭・房陵大長公主・韋浩・衛南県主・李憲・李琮などである。

韋浩は韋洵らの兄弟、衛南県主は妹であり、おなじ境遇をたどっているので、第一群としてとらえ得る。では、他の病死した者たちにはどのような背景があるのだろう。韋圭は太宗の皇后なので特別にあつかわれた。その墓は「以山為陵」にのっとって造営されており、「平地起塚」より格上、唐の葬制においては最高級である。李憲は玄宗の兄、李琮は玄宗の長子で、どちらも死後皇帝に准ずる存在とされた。譲皇帝と奉天皇帝であり、かれらの墓は恵陵・斉陵と名づけられた。房陵大長公主のばあいは、高祖の第六女であるという理由があげられる。

　問題は金郷県主と薛儆のばあいで、金郷県主は高祖李淵の末子である滕王の娘で、正二品であるが、合葬された夫于隠の官位は従五品下、しかも三十四年も前に亡くなっている。墓室は磚築ではなく土洞墓であり、墓の規模もきわめてちいさい。薛儆も睿宗の女婿ではあるが、官位は高くなかった。なぜ、石槨の使用が可能だったのだろうか。しかも薛儆墓のばあいは槨に彩絵がほどこされており、彫刻もすぐれている。都からはなれて、地元の山西省西南端に葬られた点にも謎がのこる。報告書もこの点に関心をもち、同時期でややクラスが上の豆盧建の墓との比較をこころみたが、薛儆墓は身分不相応であるという結果におわった。

〔石棺床を採用した墓〕　おなじように非業の死をとげ、死後復権した者たちのあいだでも、石槨ではなく石棺床を採用したばあいが存在する。両者をどのように使いわけたのであろうか。蒐集した石棺床は十七例、『唐金郷県主墓』はそのうちの李鳳・李仁・李貞と唐安公主の四例のみをとりあげて考察しているが、他例もあわせて考えてみよう。

李仁は高宗の猶子、李貞は太宗の第八子、ともに「反武失敗自殺」したが、のちに改葬された。貞のばあいはじつに二十九年後のことであった。李重俊の死因は「因謀反罪被殺」、韋后を倒そうとして逆に殺された。韋泚は韋洵・韋洞の弟でおなじように「流放被殺」の目にあった。これら四者は石槨における第一群に相当する。李貞のばあいは、墓室も単室で石門をもたず、死後あまりにも時間が経過したのちのことなので、さほど重要視しなかったため、と考えられよう。しかし、節愍太子李重俊墓と韋泚墓は双室で、重俊のばあいは哀冊・謚冊（総称して玉冊ともいう。硬い石を短冊形の板にし、その表面に死者の身分・業績などを刻んだ。墓誌より格上である）までもっているのだ。なぜ格下の石棺床を採用したのだろう。

一方、李鳳は高祖の第十五子で虢国王、太宗・高宗朝にあってもっとも暴虐を働いた人物であった。李撝は睿宗の第二子すなわち玄宗の弟で太子、李寧は憲宗の長子でこれもまた太子であった。新城長公主李宇は太宗の二十一女、狂死したため高宗は皇后礼をもって昭陵に陪葬したという。唐安公主は、唐王室の権力がうしなわれ、父の徳宗とともに転々とするうちに、漢中で死去した。長安にうつされたが、陪葬ではない。

埋葬年代	墓全長	石門	墓室長前/後	石棺床長/寛/高	死因
貞観17年(643)	48.18	○3	単室4.2	不明	病故23歳
永徽2年(651)	46.2	○	単室	3.48/1.98/0.3	病故35歳
顕慶2年(657)	57	○	単室4.3	3.65/1.9/0.25	不明
顕慶3年(658)	56.3	○	**双室**2.6/5.1	3.9/3.9/0.3	不明
龍朔3年(663)	50.8	○	単室4.7	4.12/2.12/0.24	暴薨30歳
上元2年(675)	63.38	○	単室4.36	4.36/2.37/0.22	病故54歳
天授元年(690)	不明	○	**双室**2.1/4.5	不明	病故55歳
景龍2年(708)	不明	○	**双室**	不明	**流放被殺**
景雲元年(710)	54.25	○	**双室**3.7/4.1	3.5/1.83/0.23	**因謀反罪被殺**
景雲元年(710)	50以上	○	**双室**	3.95/2.50/0.30	**反武失敗**
開元6年(719)	46.10	○	単室4.5	3.9/2.5/0.25	**反武失敗自殺**62歳
開元12年(724)	53	○	単室4.8	3.56/1.82/0.55	病故40歳？
天宝6年(747)	46	○	単室4	不明	不明
天宝12年(753)	13	○	単室3.8	2.20/1.45/0.29	病故50歳
宝慶2年(763)	52	○	単室4.2	4.2/2.2/0.42	病故73歳
興元元年(784)	不明	○	単室4.4	3.7/2/0.3	病故23歳
元和6年(811)	39.8以上	○	単室4.6	4.6/2.0/0.6	病故19歳

尉遅敬徳は唐の建国に功績があった。すなわち石槨の第二群に相当する。高力士は宦官で、玄宗の寵厚かった。ともに上柱国という勲官についている。わからないのは張仲暉と張去奢のばあいである。張仲暉の職級は朝儀郎、河南府士曹参軍、正六品であり、唐代の壁画を有する墓のなかでもっともランクが低い。墓の全長は一三メートルしかなく、石棺床も長さ二・二メートルときわめて小型である。張去奢の職級は銀青光禄大夫、少府監、位は従三品でしかない。母が玄宗の姨母であったということは理由になるだろうか。

石槨を採用した墓主人の年齢に注

第7表 唐代石棺床一覧（単位メートル）

墓主名(陪葬陵)	皇室関係	封号	職級
李麗質(昭陵)	太宗五女	長楽公主	
段簡璧(昭陵)	太宗外甥女	虢国夫人	
張士貴(昭陵)		虢国公(従一品)	輔国大将軍
尉遅敬徳(昭陵)		虢国忠武公(従一品)	**上柱国**
李字(昭陵)	太宗廿一女	新城長公主	
李鳳(献陵)	高祖十五子	虢王(正一品)	司徒
李澄霞	高祖十二女	淮南大長公主	
韋泂	韋后四弟	蔡王(従一品)	
李重俊(定陵)	中宗三子	節愍太子	
李仁	太宗孫	成王(正一品)	広益二州大都督
李貞(昭陵)	太宗八子	越王	豫州刺史
李撝(橋陵)	睿宗二子	恵庄太子	司徒兼益州大都督
張去奢		范陽県伯(従三品)	銀青光禄大夫，少府監
張仲暉			朝儀郎，行河南府士曹参軍
高力士(泰陵)	宦官		知内侍省事卒，**上柱国**
李某	徳宗長女	唐安公主	
李寧(宙)	憲宗長子	恵昭太子	

目すると、横死した者七名にたいして、病死した者が十人いるが、そのうち五人は六十歳をこえている（鄭仁泰もその可能性あり）。五十歳超が二人、全体的にかなり年をとっている。これにたいして、石棺床のばあいは、病故者で年齢のわかる者九名のうち、六十歳超は高力士のみ、石槨に比すると、若年者が多いのである。

韋后とは中宗李顕の妻、皇后である。権力意識の強い女で、ある意味、武則天よりむごいところがあった。武の末年、中宗が復位すると、しだいにその権力の伸長を画策し、夫の中宗を毒殺、十六歳の皇子を天子につけて、自らは摂政となった。まるで武の先例を見習ったかのようであった。結局、睿宗の子、李隆基（のちの玄宗皇帝）によって殺される。

〔双室か単室か〕　土洞墓である金郷県主墓と宋氏墓をのぞくと、すべて磚積で墓室を築いてある。土洞墓の二例は単室墓で、墓の全長および墓室の規模もちいさく、身分相応ととらえられる。李憲墓の発掘報告書は皇親陵墓の墓室建制を一覧表にまとめ、墓の格は墓室の大きさに反映するとした。そして、墓門・葬具・墓主紀文についても一覧をしめし、右の考察とあわせ、四種に分類した。

①太子あるいは准皇帝の封号を追贈された者。葬具は石槨、玉製の哀冊・謚冊を随葬。
②号墓為陵の公主等。葬具は石槨、一辺八〇～一〇〇チセンの大型墓誌銘。
③帝王の高級嬪妃。葬具は石槨、大型墓誌銘。
④親王・公主等一品の者。葬具は石棺床。墓誌を随葬。

『李憲墓』の分類に、さらに双室であるかそれとも単室であるかのちがいをくわえたい。石槨のばあい、双室十、単室七の割合であるのにたいして、石棺床は双室五、単室十二であり、これは両者の格の差をあらわしているとうけとれよう。石槨採用墓のうち単室なのは、李寿墓をべつとすると、すべて開元八年（七二〇）以降に造営されたものである。石棺床のばあいも、李宇墓・李鳳墓以外は開元六年（七一八）以降である。このことは、逆にいうと、双室墓のほとんどは六九〇～七一〇年のあいだに集中していることを意味する（例外は尉遅敬徳墓で六五八年）。そして、それらの被葬者はみな、武則天の強権のゆえ、あるいは韋后の乱に際して、非業の最期をとげた者たちであり、中宗および韋后の復権ののちに墓がいとなまれた。つまり、双室で石槨あるいは石棺床を葬具とする墓は、きわめて特殊な墓葬ということになる。

〔二人の宦官〕　唐初には石槨も石棺床もなかった。石槨のばあいは李寿墓を、石棺床のばあいは李麗質墓をのぞき、ほとんどすべては太宗の崩（六四九年）以後の造営にかかる。李寿墓からつぎの鄭仁泰墓まで三十年以上の期間があくのである。昭陵の造営となんらかの関係があるのか、あるいは石製葬具に対する禁令がゆるんだのであろうか。

石槨・石棺床が集中するのは、武則天・韋后がらみの七〇六年から七一〇年の五年間である。この時まで、双室で石槨・石棺床を使用した墓は一品までの者にかぎられていたが、これ以降、従三品の者や宦官までもが石槨・石棺床を使用しはじめ、しかも墓室は、先述のように、単室にかぎられるようになった。

宦官の墓が二例あるので、くらべてみよう。どちらも三田村泰助の名著『宦官』（中公新書）に登場する著名な人物である。

楊思勗（ようしきょく）は『旧唐書（くとうじょ）』・『新唐書』にその伝があり、墓誌の内容も基本的にこれに相符する。韋后の乱平定に功があり、玄宗が帝位につくと兵権をにぎり、残忍な性格をむき出しにした。開元二十八年（七四〇）に死去した時には、「驃騎大将軍兼左驍衛大将軍知内侍事上柱国虢国公楊公」であった。従一品である。墓の全長は不明、単室で石槨がもちいられた。

高力士（原名馮元一）は、唐朝でも稀有の実力派宦官であり、玄宗即位に際して大なる功があり、玄宗が隠退したのちまでつかえ、七十三歳で薨去し、宝応二年（七六三）泰陵に陪葬された。墓の全長五二メートル、単室。「開府儀同三司兼内持監上柱国斉国」という職階・爵位は楊思勗とほぼ同じであるし（従一品）、父馮君衡、兄高元珪も高官で、壁画墓に葬られている。にもかかわらず、おなじ宦官の楊思勗が石槨であるのにたいして、格下の石棺床がもちいられた。

両者のちがいがなにに由来するのかは不明といわざるを得ない。高祖・太宗の時代はともかく、玄宗の代も後期になると、もはや統制がとれなくなったのであろう。

最後に、石槨・石棺床の終焉にふれておこう。玄宗の四川への蒙塵すなわち安史の乱（七五六年）以降は石槨はもはや使われず、石棺床も高力士墓と唐安公主墓（七八四年）および恵昭太子李寧墓（八一一年）にのこるだけである。石槨・石棺床がさかんにもちいられた六四九～七五六年は、まさに唐墓の分期の第二期とほぼ一致する。第三期になると、もはや唐王朝にはこのような厚葬をおこなう力がなくなったことをしめす。

前節のように、唐代、玄宗期以前における石製葬具の使用には特殊な背景が存在した。非業の死をとげたがのちに復権した者か、唐王朝を樹立するに功のあった元勲のためのものだったのである。では、日本の石槨にはどのような背景が考えられるであろうか。

石槨からみた高松塚古墳の墓主人

墓主人の比定にあたっては、つねに死亡年が問題にされてきたが、中国における石槨の状況を参考にすれば、死後すぐに造営したと考える必要はない。しかも、石槨第一群のばあい、かって横死した者が死後に復権し手あつく葬られたというパターンが看取でき、そのばあい公主すなわち女性も例外ではなかった（県主クラスも含む）。しかも六九〇年から七一〇年の間に集中している。また、武則天と韋后という権力をもった皇后とかかわるところ大なるものがあった。

〔横口式石槨〕　ところで、日本において終末期古墳に採用された横口式石槨のうち、和田晴吾（せいご）の分類によるD3式は家形（いえがた）石棺から変貌したと考えられ、マルコ山古墳、キトラ古墳、高松塚古墳、石のカラト古墳の四例が知られる（「畿内・横口式石槨の諸類型」『立命館史学』十号）。それらは、中国のように地下に築いた墓室のなかに安置するのではなく、封土（ほうど）に埋めこまれ、横口部に墓道がとりつく。したがって、双室も石門も存在しない。いわんや、規模がまったくちがう。彼我のあいだには大いなる差異が存在するのだが、まったく無関係とはいえないのではないか。

キトラ古墳と高松塚古墳は、石槨内に壁画を有するきわめて特異な存在である。フレスコ画というかつてなかった技法を用いて、中国の伝統にのっとった題材を表現している。他の横口式石槨とは区別してとらえるべきであろう。高松塚古墳が永泰公主らが帰葬された七〇六年以降に造営された可能性を考えてみたい。非業の死をとげそして復権した者（女性をふくめて）が被葬者の候補となる。そして鸕野讃良皇女（後の持統天皇）のかかわりも念頭に置く必要がある。

持統天皇の在位期間は六八七〜六九七年（正式な即位は六九〇年）、退位後も上皇として文武を後見し、七〇二年に崩御した。これは武則天の在位期間（六九〇〜七〇五年）とまさにかぶさる。彼女らは同時期に権力の座についており、おなじように殺戮をくりかえしたのだ。この間、遣唐使は送られていないが、則天文字はすぐにとりいれているし、持統は武則天の存在をかなり意識していたはずである。持統の死の直前、大宝二年（七〇二）にはひさしぶりに粟田真人ひきいる第八次遣唐使が出発し渡唐に成功、翌年、武則天みずからが麟徳殿で招宴をもよおしている。この遣唐使復活も持統の意向にそってすすめられたのである。武則天が死んだのは七〇五年であるが、その前年に中宗が復位している。その直後に永泰公主らの墓の造営がはじまっていたとすれば、実地にフレスコ画の技法をまなんだ可能性もある。

白石太一郎は、まだ家形石棺の内部のなごりをとどめて天井部にくりこみをもつキトラ古墳例から、そのくりこみが浅くなったマルコ山古墳例・石のカラト古墳例をへて、くりこみがなくなり平天井となった高松塚古墳例へと変化した、と想定した。そして、キトラ古墳は七〇〇年にちかいころ、石のカラト・マルコ山両古墳は七一〇年前後、高松塚古墳は七二〇年にちかいころ、という実年代をあたえている。白石はさらに、高松塚古墳の壁画にみられる群像のひとりがささげる蓋が、「儀制令」の規定する様式や色から、一位の人物の格式に合致する、と考えた（「古墳の終末と古代国家」『古代を考える　終末期古墳と古代国家』吉川弘文館）。ここまでは同意したい。しかしながら、七二〇年前後には一位で亡くなった人物がみあたらないため、二位で亡くなって死後一位を贈られた人物のうちの一人、左大臣石上朝臣麻呂を墓主人の候補とした点には異議をとなえたい。高松塚古墳の被葬者にかんしては、ほかにも忍壁皇子、葛野王などさまざまな憶説が世にあらわれたが、これらもまとめて異議の対象とする。

〔横死した者と再葬〕　まず、さきほどの筆者の指摘にかんがみれば、七二〇年ごろの薨去者にこだわる必要はなく、もっと前に死去した者でも可なのだ。白石は、キトラにかんしては忍壁皇子に比定するのに（忍壁の死は七〇五年、キトラを七〇〇年前後の造営とするといささか矛盾する）、高松塚のばあいはなぜ皇子クラスではなく、一位の人物にこだわるのだろうか。大宝令下では親王も一位であり得るのだ。そこで、ひとつの可能性として、高松塚古墳の墓主人の候補として大津皇子をくわえてもよいのではないか、と考えてみた。石槨を葬具とし、壁画があり、王陵域に葬られた人物としてもっともふさわしい。

政治的事件によって横死した者としては、古人大兄皇子、大友皇子、有間皇子、そして大津皇子をあげることができるが、持統が直接かかわったのは大津のみである。大津は鸕野讃良皇女によって、六八六年に自害に追いこまれた。その墓は、葛城の二上山の雄岳の山頂にあるとされる。これは、『万葉集』巻二の「大津皇子の屍を葛城の二上山に移し葬る時、大来皇女哀傷しみて作りまし御歌二首」という詞書のうちの一首目、

うつそみの人にある吾や明日よりは二上山を弟背と吾が見む（一六五）

にもとづく伝承によって、後世付託されたものであろう。土橋寛は、「謀叛の罪によって死刑に処せられた大津皇子がその翌年の春、二上山に葬られたというのは疑わしい。何故なら死罪に処せられた者には、通常の『葬』はゆるされないのであって、人目につかぬ山の谷間などに『埋』めておくのであり、何年かの後に罪を許して『葬』の行われるのが慣例だからである」と指摘している（『持統天皇と藤原不比等—日本古代史を規定した盟約—』

中公新書)。そして、たとえ罪をゆるしても、死罪に処せられた者を麗々しく山頂に葬るということは考えられない、とする。まさにそのとおりであろう。

いまひとつ、当麻町(たいまちょう)の鳥谷口(とりたにぐち)古墳を大津の墓に比定する考えがある。これは和田萃(わだあつむ)が提起し、土橋もみとめたところである。和田は、大津の屍(しかばね)は、刑死者のものとして処理されたが、大伯(おおく)皇女から出されたとおもわれる移葬の要望を持統・草壁がゆるし、二上山の麓で大和三山を望みみることができる鳥谷口古墳に再葬した、と考えた(「大津皇子の墓」『鳥谷口古墳』奈良県立橿原考古学研究所)。しかし、そのように簡単に叛乱者をゆるすであろうか。なにより大津とこの地をむすぶ糸がみあたらない。和田は、当麻を根拠地とする掃守(かにもり)氏が大王家の子の産育にあたる職掌であったこととむすびつけるが、とすればすべての皇子・皇女が該当することになってしまう。

この古墳の横口式石槨は、二上山の凝灰岩(ぎょうかいがん)をもちいた家形石棺の蓋(ふた)の未製品をよせあつめたものであり、いかにも「急場しのぎ」に造営した印象が強い。しかもこの古墳の石槨内には屍(しかばね)をおさめた痕跡がない。土橋は、これらの点から、大津をここに移葬したとみせかけるように擬装した墓だとする。しかし、骨・歯や副葬品がみつからなかったことを、ただちに擬装説とむすびつけるのはあまりに短絡的であろう。

むしろ大津は死をたまわった直後に鳥谷口古墳に埋葬されたが、持統の死後に復権し、高松塚に再葬された、と考えるほうが矛盾がすくない。急なできごとだったので、まにあわせの材料で石槨をつくり、墳丘も雑に築いた。屍が無いのは移したからだと。

皇子の復権をはかるためには、墓は王陵の地に築かなければならない。中国では王陵に陪葬されているのだから。大津皇子は持統の死後に復権し、いったん埋められていた亡骸(なきがら)を高松塚に再葬した、とは考えられないだろうか。もともとの葬地が鳥谷口古墳であったとすると、右の状況とも符合する。また、高松塚とキトラでおなじ下絵をもちいたとすれば、両者の造営年代はさほどへだたらないことになる。ほぼ同時に造営されたのではないか。キトラの墓主人は誰なのかという問題がのこる。なんといっても高松塚の遺骨が熟年男性のものであるという鑑定に合致しないので、その点を克服しないかぎり、この説は成りたたないのではあるが。なんといっても数え二十四歳で「賜死」だったのだから。

もっとも、再葬自体はさほど異例なことではなく、『日本書紀』によると、用明(ようめい)、推古(すいこ)、舒明(じょめい)、宣化(せんか)の諸天皇も再葬されている。中国ではあたりまえのことなのだ。

二人の女帝

ここで、高松塚・キトラ両古墳がいとなまれたと考えられている七世紀末〜八世紀はじめ、すなわち初唐の時代背景を確認しておこう。

唐の建国と東アジア情勢の変化

楊堅・楊広すなわち隋の文帝・煬帝二代にわたる統一国家建設の事業が破綻し、全国各地に叛乱の火の手があがったのは六一六年のころだった。二十ほどの叛乱勢力のなかから台頭してきたのが李淵である。

李淵は楊氏と同じ関隴集団の出で、煬帝から太原留守という大役をまかされていた。

関隴集団とは、もと大興安嶺にいた遊牧民である鮮卑が建国した北魏の初期、べつの遊牧民である柔然・高車にそなえて、今の内蒙古自治区の首都フフホトの近くに配置した「六鎮」のひとつである武川鎮に由来する。孝文帝が洛陽に遷都すると、六鎮の将兵への待遇が悪くなり、彼らの不満が昂じて「六鎮の乱」をひきおこした。北魏は東魏と西魏に分裂、六鎮の多くは東魏と手をむすぶが、武川鎮のみが西魏にはいって在地の勢力と手を組んだ。こうして関中盆地で形成されたのが関隴集団である。リーダーは宇文泰（宇文が姓、泰が名）、これをもとに、北周の宇文氏、隋の楊氏、唐の李氏があいついで権力をにぎったのである。隋唐の中国統一とは関隴集団による中国支配にほかならないのである（森安孝夫『シルクロードと唐帝国』興亡の世界史五、講談社）。

六一七年七月、李淵は三人の息子のあとおしをうけ、長安奪取をめざして本拠地であった山西省太原の地で旗あげし（「太原挙兵」という）、一路都の長安へと進軍した。そのころ煬帝は洛陽や揚州にひきこもり、長安には孫の楊侑がいるだけだったので、彼を形式的な皇帝にまつりあげ、武器や財貨を手中におさめた。六一八年三月、煬帝が揚州で部下に殺されると、五月、李淵は唐を建国、初代皇帝・高祖となった。各地にはまだ群雄割拠の状態がつづいており、最終的に国内統一をはたすのは六二三年のことである。

これではまだ唐帝国とは呼べない。柔然などのあとをうけて勢力を拡大した突厥が北から圧力をくわえていたからである。六二六年、高祖の長男李建成・四男李元吉と次男李世民の対立が頂点に達し、戦闘のうえ後者が前者を殺害した。「玄武門の変」である。このクーデターによって高祖から実権をうばった李世民は、まず皇太子となるが、すぐに太宗として即位した。太宗の貞観四年（六三〇）、ついに国内に割拠していた群雄、隋の残存勢力、そして突厥（そのころ、東西に分裂していた、そのうちの東突厥）のすべてを打ち破り、名実ともに唐帝国となった。

その後、太宗は六四七年、北方統治のために六つの羈縻府と七つの羈縻州を設置、以後つぎつぎとふやすとともに、羈縻府州を統括する機関として燕然都護府をもうけた。これが順調にゆくと、唐は西方へも進出をくわだて、西域を支配、玄宗の治世までつづく。一方、東方の高句麗にたいしては、隋の時代から何度も遠征したが失敗し、新羅と連合してようやく打ちやぶるのは第三代の高宗・武則天（則天武后）の時代になった六六八年のことであった。そのまえ、六六〇年に百済をほろぼしている。日本は百済の遺民を支援してその復興をはかるが、唐・新羅連合軍と白村江で戦い、大敗した。

武則天と持統天皇

中国唐の武則天とわが鸕野讃良皇女には共通点が多い。

まず、有能な皇后であったこと。二人は夫である高宗と天武天皇が亡くなったあと、政治上の重要なことがらを決裁するようになり（武后のばあい、高宗存命中の六六〇年から力をふるいはじめた。垂簾聴政と呼ばれる）、六九〇年、ほぼ同時に即位し、最高権力者となった。則天大聖皇帝と持統天皇である。これらはいずれも諡（死後に贈られた名）であって、当人のあずかり知らぬことではあるが。皇后時代をふくめて彼女らは、みずからの権力を保持するために、邪魔な皇子・皇女や多くの貴族・官人たちを死においやった。

晩年、武の指導力は低下し、譲位をせまられ、神龍元年（七〇五）正月二十五日、とうとう中宗に帝位をゆずった。そして同年十一月二十六日、波乱にとんだ生涯の幕をとじた。持統は六九七年に退位したあとも、太上天皇（上皇）として文武天皇を後見し、大宝二年（七〇二）に崩じた。二人とも自然死であった。そして死後、両人はともに夫の陵に合葬された。乾陵と檜隈大内陵である。夫婦合葬は日本にはほとんどなく、中国の風をとりいれたのであろう。

死をあらわす語にも段階があって、帝が死んだときは「崩」、三位以上のばあいは「薨」、四位・五位の諸臣は「卒」、六位以下庶人は「死」で表現する。『日本書紀』もちゃんと使いわけている。

「則天武后」という名は、遺詔により皇后の礼によって夫の墓に合葬された事実を重視した呼び名であり、また宋代に編纂された『新唐書』や『資治通鑑』においては、周という王朝もその皇帝もみとめていないので、則天武后をもちいている。しかしこれは、皇后であったあいだにはふさわしいとしても、皇帝として即位したのちには適当でない。中国では「武則天」と呼びならわしているので、こちらを優先させる。また、みずからは諱である「照」をもちいた。これからは状況に応じて三つの名を使いわけたい。

北山茂夫は持統について「俊敏な頭脳、狡智、そして力量を兼備した類い稀れな古代女帝であった」と表現している（『天武朝』中公新書）。武照はどうだったのだろうか。容貌については不明だが、外山軍治はこう考えた（『則天武后—女性と権力—』中公新書）。

彼女は、高宗とのあいだに生まれた太平公主の顔つきが自分に似ているのでとくにかわいがったという。この公主は広いひたい、四角いあごをしていたというから、武照の容貌も想像されよう。「美人にはちがいないが、どちらかといえば骨ぐみのしっかりした、意志の強そうな、理知的な容貌であったのではあるまいか」。

武照の書がのこっており、その雄渾な筆力はみる者を圧倒する、といわれる（日比野丈夫『華麗なる隋唐帝国』図説中国の歴史四、講談社）。たしかに書には彼女の性格がよくあらわれているようにおもえる。さらにくわえるならば、自由奔放という点だ。ひっきりなしに改元しているところから、イラチな性格もうかがえる。しかし、皇后および皇太后であったあいだに、百済・高句麗をあいついで滅ぼし、才能と忠誠心をそなえた人物を登用し、叛乱をことごとく未然に鎮圧している。「中国三大悪女」のひとりとされるが（他は漢の呂后と清の西太后）、人間的な魅力にあふれた女性だったのではないか。でなければとても皇帝にまでのぼりつめることはできなかったであろう。

〔どちらの即位が早いか〕　持統の夫、天武天皇が崩じたのは朱鳥元年（六八六）九月、皇太子である息子草壁皇子の健康や性格に不安があったため、とりあえず称制（皇太子や皇后のままで、即位せずに天皇としての政治を執行すること）し、即位の時期をみはからっていた。草壁が持統三年（六八九）四月に亡くなったのをきっかけに、持統四年（六九〇）正月一日に正式に即位した。『日本書紀』では称制していた期間もふくめてかぞえているので、即位した年が持統四年になる。

当時の暦はもちろん太陰暦で（正確には太陰太陽暦）、唐では麟徳二年（六六五）、「麟徳暦」が施行された。日本では推古天皇のころからやや古い「元嘉暦」がもちいられていた。ところが『日本書紀』持統天皇四年十一月甲申のこととして、「勅を奉じて始めて元嘉暦と儀鳳暦とを行う」という記載がある。即位からややたってから改暦したことになるが、この勅は元嘉暦にくわえて「儀鳳暦」を併用せよという意味で、やがて持統六年（六九二）あるいは文武二年（六九八）には儀鳳暦一本にしぼった。儀鳳暦は麟徳暦の別名であり、新羅において使用されていた（藪内清『歴史はいつ始まったか』中公文庫）。

唐では、開元十七年（七二九）「大衍暦」が施行され、日本でもさっそくこれを取りいれ、天平宝字八年（七六四）より使用した。したがってこのあいだ、唐と日本とでおなじ暦を用いたことになり、『日本書紀』も「儀鳳暦」によっているので、いちいち換算せずに比較することができる。

高宗は六八三年に死に、皇太子李顕が帝位についた。これが中宗である。母の武皇后は皇太后となり、翌年、わずか五十四日後に、中宗を廃してその弟李旦を帝位につけた。これが睿宗である。皇太后はますます権勢をふるい、洛陽を神都と称して事実上の都とした。載初元年（六九〇）、ついに皇太后は皇帝の位につき、国号を「周」とあらため、天授と改元し、臣下から「聖神皇帝」という尊号が奉られた。即位は九月九日のことであったので、持統のほうがわずかながら早い。しかし、高宗の皇后になった六五五年から七〇五年の死にいたるまでちょうど五十年間、武の親政がつづいたことになる。統治期間ははるかに永い。皇后時代の鸕野讃良にも武后の動向はつたわっていたであろう。藤原宮・京の造営を強引に推進したところも武に似ている。

〔仏教への傾斜と大雲寺の造営〕　武は仏教、ことに密教におおいに関心があったようだ。皇后のころから法門寺の寺観をととのえるのに熱心で、ほかにも龍門石窟最大の奉先洞に高さ一七余の大毘盧舎那仏をつくるなどさかんに造寺をおこない、多くの密教経典を翻訳させている。武后の即位には仏教が大きな役割をはたした。即位の正統性を理論づけるために『大雲経』を利用したのである。即位後には、洛陽・長安の両都および天下の諸州に「大雲経寺」、略して大雲寺という寺をもうけた。国家が費用を負担する官の寺である。聖武天皇が天平十三年（七四一）、諸国に国分寺を建立させたのは、この制を取りいれたものである。小型の金棺・銀槨を入れ子にした舎利容器を主唱したのも彼女とされており、みずからの名である「照」の字を「曌」にかえた。これは梵語のヴィルシャナの意「天空中の日月」をとったものとされる。

持統もまた造寺活動にいそしみ、さかんに法要をおこなっている。薬師寺（本薬師寺のこと）は天武が発願したが、実際には皇后が天皇の病気平癒を祈って完成させた。ことに夫天武天皇とあと継ぎの草壁皇太子をあいついで亡くしたのち、川原寺での燃灯供養、薬師寺での大法会などをもよおした。また、両者はさかんに出遊をおこなっている。

〔二人の相違点〕　もっとも持統と武則天には相違点もある。

まず第一に出自がちがう。持統は天智天皇の二番目の娘、大海人皇子と斉明三年（六五七）に結婚した。十三歳であった。それにたいして武照は山西省の元材木業者の娘。父武士彠は隋の煬帝の末年に下級武官になり、彼女が生まれた時には利州都督（利州はいまの四川省広元県、都督はその長官）であったが、これは李淵（高祖）の太原挙兵にさいして功があって、取り立てられたからである。つぎの太宗の時代には地方長官を歴任し、のちに工部尚書（建設大臣）まで昇進した。

武照は十四歳で太宗の後宮に入り、「才人」となった。太宗の崩御にともない、長安の感業寺へおくられ、剃髪して尼となった、といわれる（実際には仏寺には入らず、道教寺院であったようだ）。高宗の皇后であった王氏の推挙によってふたたび入宮、やがて「昭儀」の地位を手にいれた。後宮における五番目の地位である。その後永徽六年（六五五）に皇后にのぼりつめるまでには、母楊氏の奮闘があったという。くわしくは先にふれた外山軍治の著作を参照されたい。津本陽『則天武后』（幻冬舎文庫）は小説なので、武が皇后にはいあがるまでのいきさつを、想像力ゆたかに描いている。

第二に、日本のばあい、推古（豊御食炊屋姫）・皇極（宝皇女、重祚して斉明）という先例と、のちにも元明（阿閇皇女）・元正（氷高皇女）・孝謙（阿倍皇女、重祚して称徳）という例があって、のべ七人の女帝が出現したが、武則天のばあいは歴代王朝をつうじてはじめての女帝であり、以後はない。まさに空前絶後のできごとなのであった。

ここで少し唐の後宮の話をしよう。皇帝の正式な配偶者は皇后である。もちろん一人だけ。その下に四人の妃がいた。夫人とも称する。上から貴妃・淑妃・徳妃・賢妃の順で、各一人、一品（一位）に準ずるとされた。その下に嬪がいる。昭儀・昭容・昭媛、脩儀・脩容・脩媛、充儀・充容・充媛である。これも各一人なので計九人（二品）。したがって、昭儀は皇后をのぞくと五番目のランクになるのだ。さらに婕妤（三品）・美人（四品）・才人（五品）とつづく。これらは各九人。であるから武照が最初に後宮にはいったときは、三十二番から四十番目のランクだったのである。これだけではすまない。さらに宝林(ほうりん)・御女(ぎょじょ)・采女(さいじょ)があって、これらは各二十七人。規則で定まっているだけで総計百二十一人にもおよぶ女性が后妃であった。彼女らは、俗ないい方をすれば「妾(しょう)」であるが、妾といえども女官なのであって、官名・官位・俸禄をうけた。さらにこれだけの人数につかえる宮女たちがいて、彼女たちも皇帝の寵にこたえるわけだから、「後宮三千人」という表現もあながち誇張とはおもえない。さらに宦官や儒人がいた。千人とも、玄宗皇帝の代には三千人いたともいう。費(つい)えはさぞかし大変だったであろう。

高宗は、武照のために「宸妃(しんひ)」というあらたな位をつくろうとしたが、反対が多く断念したという。宸は宮廷を意味する字で、貴妃より上、皇后に接近している。

日本の後宮はもっと簡単で、皇后の下に妃(きさき)が、さらに夫人(ぶにん)・嬪(ひん)があった。人数に制限はなく、ただ妃以上は皇族でなければならなかった。日本で生まれていたら、武照といえども妃にさえなれなかったのである。

武則天の事業

〔相次ぐ年号の変更〕　初代高祖・二代太宗はともに一代一元号でおわっているのにたいし、高宗の時代になると急に改元が多くなる。これは高宗の意向ではなく、武后のこのみによったのではないか。というのも、彼女は帝位についたのちにもかなりの頻度で改元しているからだ。高宗の治世三十五年間に十三回、武が帝位にあった十五年間にはじつに十六回を数える。一年一回ではすまないのである。元年ばかりがつづいて、いったい西暦に換算するとどうなるのか、歴史家を泣かせるためにしたのではないか、とさえおもえる。

年号とは、皇帝がその政治の理想をあらわし、あるいはなにかの祥瑞（しょうずい）をきっかけに将来への期待をおわせたもので、歴代、できるだけめでたい文言（もんごん）をえらんでいる。高宗時代から武がかかわった改元で採用した年号は総計二十八に達する。

彼女は文字に霊威を感じる性質だったらしいが、一貫性に欠けており、つぎにふれる官庁名ほど優雅な趣はかんじられない。高宗期の年号に麟徳と儀鳳がみえる。先にふれた暦の呼び名はこれに由来する。中国では麟徳年間に定められ、日本につたわったのが儀鳳年

第8表　年号一覧

皇帝	年号	西暦
高宗	永徽	650～56
	顕慶	656～61
	竜朔	661～63
	麟徳	664～66
	乾封	666～68
	総章	668～70
	咸亨	670～74
	上元	674～76
	儀鳳	676～79
	調露	679～80
	永隆	680～81
	開耀	681～82
	永淳	682～83
武執政	弘道	683～84
	光宅	684～85
	垂拱	685～88
	永昌	689
武則天	載初	689～90
	天授	690～92
	如意	692
	長寿	692～94
	延載	694
	證聖	695
	天冊万歳	695～96
	万歳登封	696
	万歳通天	696～97
	神功	697
	聖暦	698～700
	久視	700～01
	大足	701
	長安	701～04
	神龍	705

間だったのであろう。

武則天が制定した元号のなかに漢字四字のものがある。「天冊万歳」と「万歳登封」「万歳通天」の三つである。外山は、すこぶる風格があり、いかにも堂々としていると評した。四字の年号は北魏に「太平真君」というのがあって、これらが最初ではないが、つづけて三度も使ったところに武の面目がある。それから五十年後の日本で、孝謙・淳仁・称徳の三天皇の時期、「天平感宝」「天平勝宝」「天平宝字」「天平神護」「神護景雲」と四字の年号をつづけて採用している。これが武則天の四字年号にならったものであることは想像に難くない。

〔官庁名・官職名の変更〕　龍朔二年（六六二）、官庁名と官職名をあらためた。十年もたたない咸亨元年（六七〇）、官名をもとにもどし、光宅元年（六八四）、ふたたび官庁名と官職名をかえた。

唐の中央官制は三省六部からなっていた。三省とは尚書省、中書省、門下省のことである。尚書省は行政官庁で、その下に吏部（人事）、戸部（財政）、礼部（文教）、兵部（軍事）、刑部（司法）、工部（建設）の六部があった。中書省は天子の詔勅の草案をつくる官庁、門下省はそれを審議する官庁である。尚書省の長官は二名いて、尚書左僕射・右僕射という。中書省の長官は中書令、門下省の長官は門下侍中、行政事案のほとんどはこれら四名の宰相の合議によって処理された。そのような役所と官の名称を二度にわたってかえたのである。武則天らしい。

〔則天文字の制定〕「則天文字」は、載初元年（六八九から六九〇年にまたがる）正月に公布された新字で、以後六九七年までに四次の追加があった。「武周新字」とも呼ばれる。周は武がひらいた新王朝の名。十七文字以上あったと考えられているが、武則天の崩御後ただちに廃止されたため、今日にいたるもその全貌はあきらかでない。ただ、なんでも新しくしたのではなく、天・地・人、国・君・臣、日・月・星、そして自分の名である照など、ある一定の規準があったようだ。

第9表　武による官庁名の変更

官庁名	竜朔二年	光宅元年
中書省	→西台	→鳳閣（ほうかく）
門下省	→東台	→鸞台（らんだい）
尚書省	→中台	→文昌台
吏部		→天宮
礼部		→春宮
兵部		→夏宮
刑部		→秋宮
工部		→冬宮
御史第	→左右粛政第	

官職名	竜朔二年	光宅元年
中書令	→右相	→内史
門下侍中	→左相	→納言（のうげん）
尚書左僕射	→左匡政	→文昌左相
尚書右僕射	→右匡政	→文昌右相
六部尚書（長官）		→太常伯
六部侍郎（次官）		→少常伯

一九八二年、河南（かなん）省登封市嵩山（すうざん）において、地元の若者が峻極峰の北側の岩の下で、偶然、金の板を発見した。長さ三六・三センチ、幅七・八センチ、厚さ一ミリほど、重さ二二三・五グラムの金板である。嵩山は、

河南省の省都である鄭州の南西にあり、古来、中国五岳のひとつに数えられ、皇帝による天地を祀る儀式（封禅）がとりおこなわれるなど、人々の尊崇をあつめた名山である。

金板には、三行にわたって、六三の文字が刻まれている。それぞれの文字の筆画の周囲を鏨打ちによってあらわしたものである。

上言大周圀（国）主武曌（照）好楽真道長生神仙謹詣中
岳嵩高山門投金簡一通乞三官九府除武曌罪名
太歳庚子七匝（月）甲申朔七乙⃝（日）甲寅小使恧（臣）胡超稽首再拝謹奏

日本ではその内容によって「則天武后除罪簡」と呼ぶが、「武則天除罪簡」といいかえよう。武則天でさえみずからの罪をのぞこうとしたのだ。銘文中には圀・曌・匝・乙⃝・恧という五種の則天文字がつかわれている。このうち武則天の本名である照を変えた「曌」の文字がつかわれているのは、史書をのぞき、これが唯一の実例である。

則天文字は、武則天の治世がすべて否定された中国では継承されなかったが、日本にはいち早く伝えられ、「圀」などは後世まで使用されて、日本人にはなじみ深いものとなっている。なかでも有名なのは水戸光圀、かの黄門様である。京都の本圀寺もこの字を採用している。

もっとも古い用例は慶雲四年（七〇七）に写書された『王勃詩序』（正倉院宝物）に認

められる。「𠥱」(月)と「埊」(地)の二字である。『養老律令』(名例律、八虐条)には「圀」が用いられているので、大宝律令は現存しないため確認できないが、そこでも字句中に「圀」が使われていた可能性があるといわれる。東野治之によると、これは「日本の律が武后朝写書の唐律を範にしたためで、新羅などを通じて、いち早くそうした唐律の写本が伝えられ、大宝律令(七〇一年成立)の編纂に役立てられたことも十分考えられる」(東野治之『書の古代史』岩波書店)のであるが、遣唐使がとだえていたあいだにどのようにして伝えられたのだろうか。また、八虐条の三曰では「圀」がもちいられているが、一曰では「國」と表記しており、統一がとれていない。

持統と中国

〔遣唐使の復活〕　天智八年(六六九)の第七次いらい三十一年間とだえていた遣唐使が、大宝二年(七〇二)六月に復活する。第八次遣唐使であり、十月に入京をはたした。持統上皇はその直後、十二月に没する。

ひさしぶりの遣唐使派遣であるとともに、規模を大にし、はじめて往路に南路を利用している点が注目される。政治的関係より文化の摂取に意をそそいだようにもおもわれる。

このあいだに遣唐使が派遣されなかった理由については、つぎのように考えられている。白村江における敗戦、これまでの対唐外交への違和感、壬申の乱後国内政治へ力を集中する必要があったなどの理由があげられようが、ようするに派遣するゆとりがなかったのだと。しかしながら、律令編纂に関連しては、模範とした唐の『永徽律令』（六五一年制定）などはすでにこれまでの遣唐使や留学生がもち帰っており、とくに不自由する状況にはなかった、との指摘もある（石井正敏「外交関係—遣唐使を中心に—」『古代を考える　唐と日本』吉川弘文館）。

直木孝次郎の考えは逆で、「中国文化に対しては、持統はこれに深く傾斜した天智に性格的に似ていたが、実際の政治のうえでは、天智のおかした失敗をよくみきわめ、批判的な態度を失わなかったのではないかと思われる。それは明・浄・正・直という飛鳥浄御原令の位階の名のつけかたにもうかがえるし、また持統は治世中、一度も遣唐使を出さなかったことにもあらわれている」とのべている（『持統天皇』人物叢書、吉川弘文館）。これには重大な誤りがある。持統は生きているうちに第八次遣唐使を準備し、派遣に成功した。彼らが持統の死の直前に入唐をはたした事実を無視してはいけない。粟田真人は武則天に会っているのだ。ただし、ようやく江蘇省北部の塩城県に着いたとき、彼らは国号が周と改まっていることを知らなかった。

遣唐使が再開された理由については、ほとんど考察されたことがない。そのなかで北山茂夫は、註の形だが言及しており、つぎの二点をあげた。ひとつは、新羅をとおして中国の文物が受容されてきたが、唐の諸文明にたいする渇望がしだいに高まってきたこと。第二に、内政にみられた積極性が、その延長として、対外関係の面で動いたこと。そして、藤原不比等がこの外交上の大転換を実行にみちびいた有力なひとりであった、とみている。

わたしは、第八次の遣唐には持統の意志が大きくかかわっていた、と考えたい。藤原京と律令が完成し、中国にたいしてかなり自信をもち、いままでとはちがうぞ、という意志を武則天に示したかったのではないか。天武十年（六八一）に律令の編纂がはじまり、持統三年（六八九）には『浄御原令』が、やがてさらに改訂をくわえて大宝元年（七〇一）に『大宝律令』が完成した（施行は翌年）。これと併行するように遣唐船を建造、使節を任命し、翌年に出発しているのである。これに呼応するかのように、武は遣唐使一行を杜嗣先（文人学者）、李懐遠・豆盧欽望・祝欽明（高級官僚）を出して接待し、最後には麟徳殿にまねき、宴をもよおしている。そして粟田真人に司膳卿の位をさずけた。武は日本にたいしてきわめて友好的な姿勢をとったのだ。なお武は、洛陽を神都と称してここを本拠としたが、大足元年（七〇一）、長安にもどり元号を「長安」とした。粟田真人らが歓待されたのは長安においてであった。

つぎの第九次遣唐使は養老元年（七一七）に出発したが、帰国はばらばらで、留学生阿倍仲麻呂ら二人は唐の官人となって帰国しなかった。高松塚は七〇〇年前後に造営されたとする考えを生かそうとすると、高松塚古墳壁画の粉本(ふんぽん)をもち帰り得たのは、遣唐使とかかわってとらえるかぎり、どうしても第八次の際であったとしか考えようがない。ところが、もち帰った粉本が古くに製作されたものだったとしたら、第七次遣唐使の際に派遣した留学生などが帰国し、粉本をもたらした可能性もあろうし、第九次の際であった、とする考えも成り立つ。もっとも遣唐使が派遣されていないあいだにも、人の往来があり、かなりの文物が流入していたことはたしかなのだ。律令、暦、則天文字しかり。その経路として考えられるのは、かつて渡唐して帰国した留学生や僧、新羅経由、そして民間の交流である。

〔持統はなぜ火葬されたのか〕　火葬の習俗も右のひとつで、日本における火葬は、文武四年（七〇〇）、僧道昭(どうしょう)にはじまるとされる。その後持統（七〇二年）、文武（七〇七年）、元明（七二一年）、元正（七四八年）の歴代天皇が火葬された。実のところ、火葬はもっと早くおこなわれており、紀年銘を有する骨蔵器（骨壺）によって確認できる。船首王後(ふねのおびとおうご)（六六八年）、小野朝臣毛人(おののあそんえみし)（六七七年）の二例である。

ところで、持統はなぜ火葬されたのだろう。まだ火葬が一般に受け入れられるまえなのに、という疑問がわいてくるのだが、直木孝次郎は「持統の希望でもあったろう」の一言でかたづけてしまった（『持統天皇』前掲）。なぜ持統は希望したのか、が問われていないのだ。

持統は死後、夫天武が眠る檜隈大内陵に合葬された。天皇が合葬された例は皆無ではなかったけれど（宣化など）、七世紀代には母子合葬あるいは兄弟合葬が一般的であった。中国では夫婦合葬がふつうであり、持統もこの風にならったのではないだろうか。

〔持統研究の盲点〕右でふれた直木孝次郎のほか、北山茂夫「持統天皇論」（『日本古代政治史の研究』岩波書店）など、持統と政治をあつかった書は多いけれど、持統と中国との関係を取りあげたものはすくない。というよりほとんどない。土橋寛『持統天皇と藤原不比等』（前掲）は少々毛色がかわっているが、やはり同類である。持統は先達としての、あるいは同時代に生きている権力者としての武則天をどのようにおもっていたのだろう。かなり気にしていたことはたしかであろう。武則天の死後に、彼女によって横死させられた者たちを復権させ再葬したことにならって、持統の死後に大津皇子ともう一人に対して同様の措置がとられた。その背景には、持統の武に対する思いがあり、持統の周りにあった者がそのことを認識していたのではないか。

なお、日本では光明皇后を武則天に対比させることが多い。たとえば大林太良・生田滋『東アジア民族の興亡―漢民族と異民族の四千年―』（日本経済新聞社）はつぎのように述べている。

則天武后のことは奈良時代の日本にも知られていた。光明皇后はその夫聖武天皇（七二四―七四九）を背後で操り、大仏建立などさまざまな事業を推進させ、天皇の譲位後も皇太后として権力をふるった。彼女の行動には「天平勝宝」のように四文字の年号を採用したことなど、則天武后を意識していると思われるふしがある。則天武后も「天冊万歳」など四文字の年号をいくつか立てている。

たしかに、天平勝宝の前に「天平感宝」がはじめての四文字年号としてもちいられたのは七四九年のこと、光明皇太后はまだ存命中で、紫微中台（その長官が藤原仲麻呂）にあって権力を行使したことであろう（崩御は七六〇年）。それはそれとして、持統天皇が武則天を意識していたこともまた考慮しなければならない。

飛鳥王陵と高松塚・キトラ古墳

中国の陵墓

中国のばあい、皇后は皇帝陵に合葬され、太子・公主は親である皇帝の陵の近く（陵園内(りょうえん)）に陪葬(ばいそう)された。武則天は夫高宗の乾陵に合葬され、高祖の第六女である房陵大長公主は献陵に、太宗の第二十一女、すなわち末娘である新城長公主は昭陵といった具合にである。

横死して復権した者も、祖陵の近くに葬りなおされた。中宗長子の懿徳太子、中宗第七女である永泰公主、高宗第六子の章懐太子は祖父および父である高宗の乾陵に陪葬された。ただし、陪葬されたのは太子・公主ばかりではなかった。妃や鄭仁泰・張士貴・尉遅敬徳らも昭陵に陪葬されている。勲官(くんかん)、すなわち王朝の創立などに貢献した者たちもふくまれるのである。玄宗につくした宦官たちも陪葬されている。

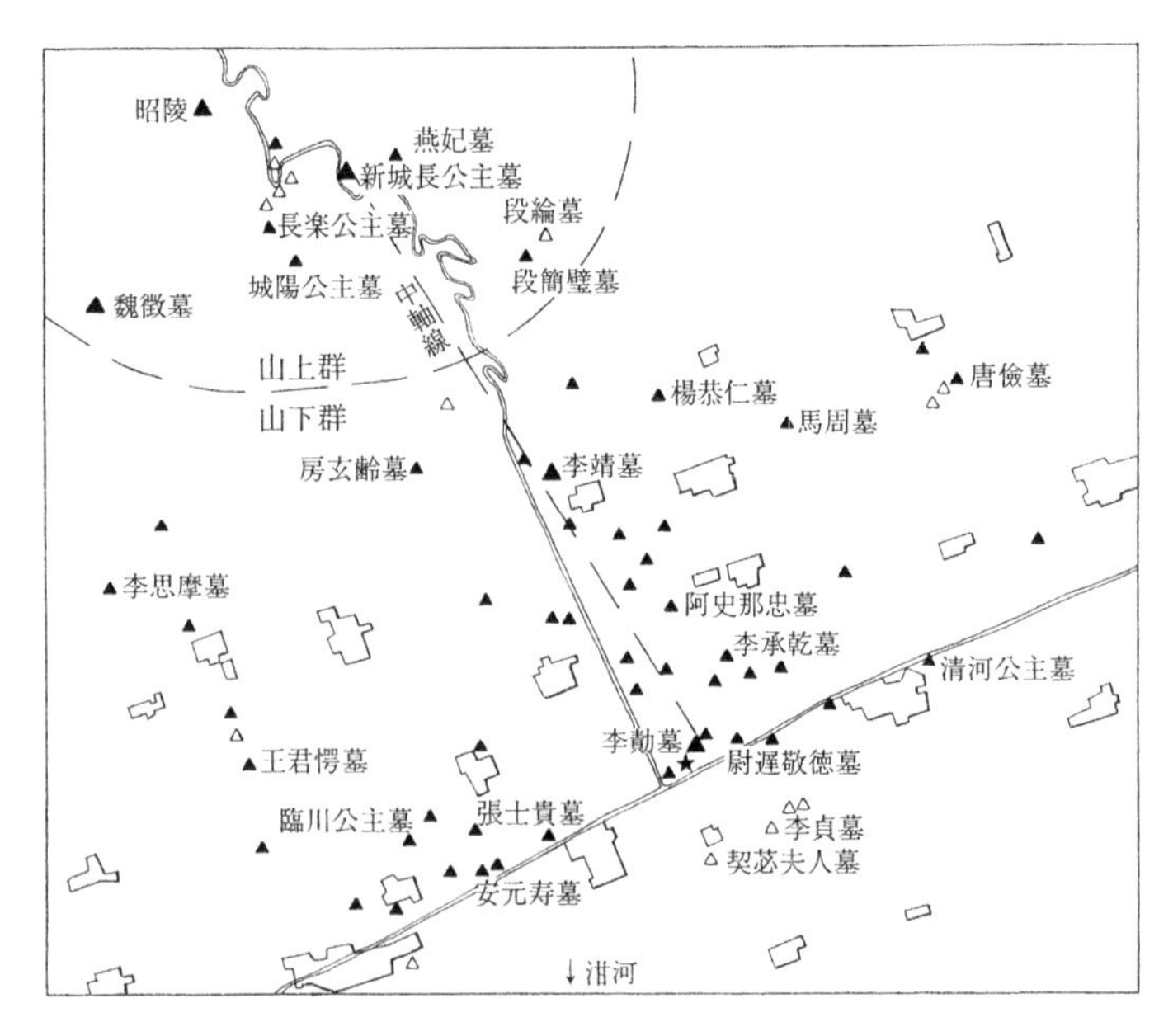

第25図　昭陵陪葬墓のうち，墓主人がわかる墓の分布

とはいえ、彼らは皇親とまったく同列にあつかわれたわけではなかった。たとえば、太宗昭陵のばあい、海抜一一八八メートルの九嵕山を陵体として、その南方に、現在確認されているところでは総数百六十八座の陪塚が配されている。それらは山上群と山下群に二分できる。

まず、新城長公主墓と魏徴墓は別格で、九嵕山から一段さがった東南、西南の峰を利用して（「依山為陵」）乳峰形の墓がいとなまれた。新城長公主墓の西南には韋貴妃墓・長楽公主墓・城陽公主墓などがつらなり、東には燕妃

（太宗徳妃）墓があって、その南に段綸墓・段簡壁墓がつづく（山上群）。皇室成員の墓群と考えられる。長楽公主墓・城陽公主墓の墳丘は覆斗形（方錐台形）をなし、規模も大きい。ほかは円錐形で小型。

阿史那忠・張士貴・鄭仁泰・尉遅敬徳・李震・李貞墓など高官の墓は南に離れた泔河近くの平地につくられた（山下群）。これらの墳丘は円錐形で規模も小さいが、李靖墓・李勣墓だけが山形をなし、規模も格段に大きい。

高宗乾陵のばあいも、章懐太子・懿徳太子・永泰公主墓のグループは乾陵の近く、そのほかの諸墓はそれらの外側に位置する。陪葬といっても一律ではなく、そこには一定の格差が存在したのである。墓の位置・形・規模だけではなく、墓前の石獣にもその数などで見た目にわかるようなちがいがあった。副葬品にも差があったろうが、ほとんどが盗掘されていたため、その検討はできない。

飛鳥の王陵

高松塚・キトラの両古墳は天武天皇・持統天皇合葬陵（野口王墓）などが所在する王陵地区につくられた。この王陵地区のありかたにも中国の影響があった、と考えたい。

また昭陵にもどるが、大型の墳丘をもつ新城公主墓と李靖墓・李勣墓は、それぞれ約一・五キロの間隔で南北一直線にならび、墓群の中軸線を形成しているようにみえる。なに

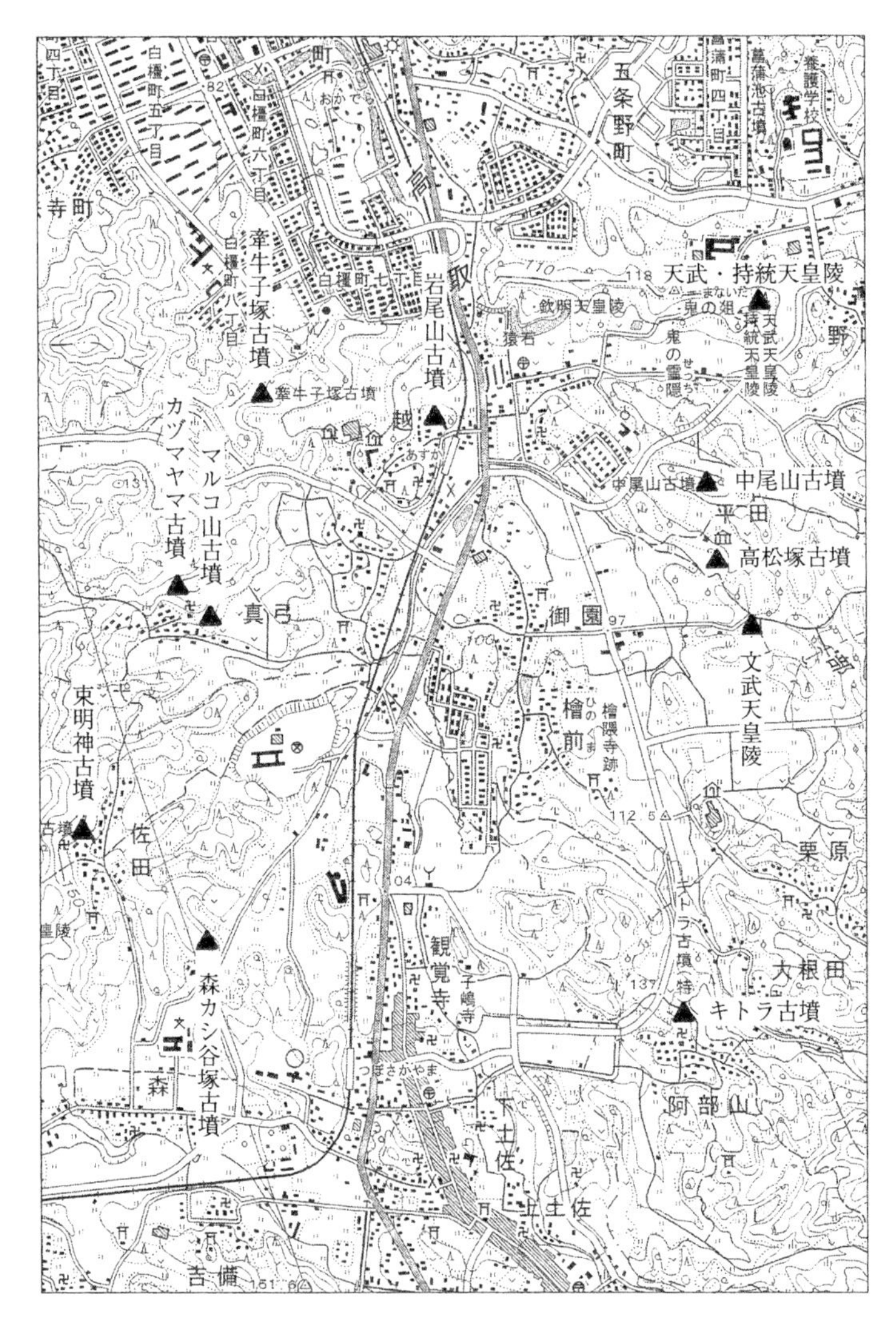

第26図　飛鳥王陵位置図

か意味があるのだろうか。飛鳥王陵においても、天武・持統陵と高松塚・キトラ両古墳はそれぞれ約一・二キロの間隔をおいて南北にならぶことが以前から指摘されてきた。

天武・持統陵を中心におくと、高松塚古墳は文武天皇陵の有力な候補である中尾山古墳よりは遠いが、高取川をへだてた真弓丘陵に位置する牽牛塚（けごしづか）古墳・マルコ山古墳・束明（つかみよう）神（じん）古墳よりも近い。墓主人はとうぜん皇族以上で、なおかつ天武天皇と縁の深い人物でなければならない。なお、牽牛塚古墳の墓主人については斉明天皇、束明神古墳は草壁皇子が有力な候補である。これらは、昭陵に対する乾陵のように、別な墓群を形成していたのであろう。

キトラ古墳は高松塚の南約一・二キロの位置にある。天武・持統陵からはより離れていることになり、墓主人の身分もいくらか低い可能性があろう。

絵師は誰か

来村は黄文連本実（きぶみのむらじほんじつ）という絵師が中国に留学し、フレスコ画の技法をまなぶとともに粉本をもたらしたと主張、渡唐した時期はわからないが、第七次遣唐使とともに帰国したとする。第七次遣唐使は天智八年（六六九）に出発したが（日時は不明）、いつ帰国したかも史料ではわからないのだ。来村は天智十年（六七一）に水臬（みずばかり）（水準器）を献上したという記録があるのでそれ以前と考えた。縦縞長裙の流行時に中国にいたことになって、符合する。本実説に与（くみ）するもの多く、妥当な考えのようにおもえる。

ただ、一方に人物群像、他方に十二支を描いた理由が不明。また、来村はキトラが先で、さほど時をへることなく高松塚の壁画が描かれたという前提にたっているのだが、これが逆であることはすでに述べた。

史料（『日本書紀』・『続日本紀』）にあらわれた本実の足跡をたどってみよう。

天智十年（六七一）　天皇に水臬を献上
持統八年（六九四）　持統天皇によって鋳銭司に任命された
大宝二年（七〇二）　持統天皇の葬儀に際して作殯宮司に任じられた
慶雲四年（七〇七）　文武天皇の葬儀に際して殯宮の事を担当
　同　右　　　　　　御装司に任じられた

本実は唐に留学して、長安普光寺の仏足石図を写してきた（これは薬師寺蔵『仏足石記』としてのこる）。ある日急に呼び出され、壁画の製作を命じられ、手持ちの粉本をいろいろ組みあわせて下絵を描いた。実際に現場で描いたのは、実態を知悉している本実ではなく、つぎの世代の絵師であった、という考えも成り立つ。

武則天の死（七〇五年）から玄宗の即位（七一〇年）までの数年間は混乱の時代で、武氏一族と李氏とのせめぎあいがまだつづいていた。壁画にかんしては、青龍・白虎は墓道の入口部東西に描かれており、これは唐墓壁画第一期の残映である。一方、人物群像、とくに女性の描きかたや服装には変化がみえ、第一期から第二期への過渡期ととらえ得る。なんといっても、この時期に著名な壁画墓が集中していとなまれているのだ。第八次遣唐使は七〇二年十月に出発し、執節使である粟田真人は七〇四年七月に帰国したが、坂合部(さかいべの)大分(おおきた)（副使）、巨勢邑治(こせのおおじ)（大位）らの帰国はかなり遅れたようだ。七〇六年以降に帰国した留学生のなかに画師がいたとすれば、最新の下絵の作製現場を見る機会があったかもしれない。とうぜん、保管されていた古い下絵も何枚か入手したであろう。黄文本実だけが絵師の候補であるというわけではないのである。

謎はのこった——エピローグ

以上、高松塚・キトラ両古墳について、壁画を中心にいくつかの観点から検討してきた。主たる眼目は「中国から見直す」ところにあった。両古墳の発見当初より中国の資料は格段に増加し、これを利用していままでの研究を再検討することに意義があると考えたからである。

研究を進めれば進めるほど、問題意識が高まり、検討すべき課題が出てくるのは、どの学問分野でも同じであろう。考古学のばあいには、まったく知られていなかった事実が新たに掘り出されるのが日常茶飯事。とくに中国では、『文物報』という週刊新聞があって、毎週のように特大の発見が報道されている。なにしろ領域は広大で、古くから文明が栄えていたのだ。いままで積みあげてきた研究成果が覆る（くつがえ）こともあるかも知れない。そもそも高松塚のような壁画古墳が日本に存在するとは想像もされていなかったのである。もう一つ、新たに壁画古墳が見つかる可能性も皆無ではない。だからこそ、いまできる最善の研究を心がけねばならない。本書ももちろんそのつもりで執筆した。

先行研究から学ぶことも重要だ。高松塚古墳で壁画が見つかった当時、乏しい比較資料しかない状況下、研究者たちは精一杯努力して、問題に向きあった。中でも秋山光和の研究は、今日でも色あせてはおらず、学ぶべき点が多い。

本書は、中国考古学を主な研究対象としているわたしの思いと先行研究の成果をつきあわせて構成してある。その結果、高松塚・キトラの壁画には、四神や人物群像など古い要素と、十二支のような新しい要素が入りまじっていることが判明した。なぜ混在しているのか、新たな謎が生まれたことになる。また、四神のうち龍虎の指が本来は三本であること、朱雀はもともと対面した図像であったことなど新説も提起した。高松塚古墳の墓主人を大津皇子ではないかとしたのは少々飛躍しすぎであったかもしれないが、「再葬」の概念を導入したことは、これから古代史を研究するうえでおおいに役立つであろう。

古い粉本をもとに忠実に描いたのであれば、いつ描いても形だけは同じ壁画ができるはずだ。人物群像が左衽(さじん)であることにも説明がつく。しかしながら、年代を決めるにあたっては、もっとも新しい要素をもとにしなければならない。新しいものに古い要素ははいり得るが、古いものに新しい要素ははいり得ないのだから。

そのようなわけで、高松塚古墳は七一〇年以降、キトラはさらに遅れて造営された、と考える。そのころ都はすでに平城京にうつっていた。いままさに「平城遷都一三〇〇年」の記念行事が開催されているのはご存じでしょう。壁画は発見されなかったが、高松塚・キトラとおなじ型式の石槨を有する石のカラト古墳が平城宮跡北方の丘陵上に存在し、元明・元正・聖武天皇陵などとともに王陵群を形成しているところは、平城遷都後に営まれたことを示しているのではないか。

本書で取り組めなかった問題もある。たとえば天井の星宿をふくむ天体図である。わたしは理科系に弱いので、とても太刀打ちできないだろう、という先入観が作用したせいである。風水についても同様。人物群像のうちの男性や顔料の問題などについても触れることができなかった。武則天と持統のかかわりについても憶測の域を出ていない。

高松塚・キトラ両古墳について、研究すべき課題はとうぶん尽きないであろう。

わが国はかつてさまざまな文化と社会習慣を中国から受けいれた。いかように受容したか、これについては、時代によっていささか異なるところがあるようにおもう。たとえば、稲作や金属器の製作をまなんだ弥生時代と、いま問題にしている七・八世紀とでは、受け入れ側の状況がちがうからである。とは言え、基本的にはいくつかの形態に分類してとらえることができる。

① 総体として受容した―たとえば暦や時刻の制度
② 自分に都合のいい様に変形した―漢字からカナへ
③ まったく取りいれなかった

①は改変のしようがないので、そのまま受けいれた。お天道様には逆えないのである。

③については、ふつう四つあるとされている。科挙、宦官、纏足、そして靴をぬがない家である。佐原真の教えにしたがって、次の諸点を加えたい。

戦車・長兵（長柄の武器）・弩（いしゆみ）といった戦闘用具
宦官とおなじ系譜になるが、動物、とくに馬の去勢
血食と犠牲
壁建ちの建築

問題なのは②のばあいで、われわれの祖先は漢字ばかりではなく、じつにさまざまな文化要素を変形した。衣服もそのひとつで、これについては「高松塚人物群像の謎」の節ですでに考察した。それにしても、いまだに和服のことを呉服と呼んでいるのはなぜだろうか。

七・八世紀の日本は、中国の制度にまなんで国家の体裁をととのえようとしたが、まったく中国のまま受けいれたのではなく、かなり改変することがあった。たとえば、律令官制についてみてみよう。

隋唐の官制は「官品」と「官職」の二重構造になっており、さらに「爵」と「勲官」が加わってややこしい。三十階にわかれる。一品から九品まであり、一品から三品までを正・従に、四品以下を正・従に加えて上・下の四ランクにわけるのである。官品には付随する官名があり、文官と武官でまたちがう。あまりに煩雑なので一部だけを記す（正一品はなし）。

従一品　文官　開府儀同三司
　　　　武官　驃騎大将軍
正二品　文官　特進
　　　　武官　輔国大将軍
従二品　文官　光禄大夫
　　　　武官　鎮軍大将軍
（以下略）
爵　王・郡王・国公・郡公・県公・県侯・県伯・県子・県男

勲官　上柱国・柱国・上護軍…（中略）…武騎尉

京官（中央官）には三師・三公・六省・九寺・一台・五監がある。三師・三公は正一品であるが、実務も官庁もない名誉職。

六省とは尚書省・門下省・中書省・秘書省・殿中省・内侍省のことで、中書省は詔勅の起案をおこない、門下省はこれを審査し、尚書省都省（本庁）にまわし、その下に設けられた六部をつうじて執行された。秘書・殿中・内侍の三省は皇帝の私事を担当する官庁、ふつう、これらをのぞいて尚書・門下・中書を三省という。

六部は行政庁である尚書省のもとにおかれた吏部（官吏の任免）・戸部（財政）・礼部（文教）・兵部（軍事）・刑部（司法）・工部（建設）の総称。その下に各四司、計二十四の司があった。九寺・五監は六部の指示によって執行した。九寺は、太常寺（祭祀）・光禄寺（宴会）・衛尉寺（儀仗）・宗正寺（皇族）・太僕寺（車馬）・大理寺（刑獄）・鴻臚寺（外交）・司農寺（倉庫）・太府寺（財物）の各寺からなる。寺は役所の意味で、仏教寺院とは関係ない。五監は、国子監・少府監・軍器監・将作監・都水監の各監である。台は御史台のことで、御史大夫を長官として官吏の監察をつかさどった。

外官（地方官）の文官には、府（京兆＝長安、河南＝洛陽、太原の三府や都護府など）、州（三百余）、県（千五百余）に属する多くの官があった。

武官は、中央に十六衛、地方に折衝府（約六百）の官があった。

以上の京官外官の合計は、開元二十一年（七三三）には、一万七千六百八十六員であったという。これだけでも十分複雑であるのに、玄宗以降さまざまな官職がくわわった。節度使などで、令外官（りょうげのかん）である。

尚書省の長官である令は常置の官ではなく、左・右僕射（ぼくや）（丞相とも言う、各一員）が実質上の長官である。中書省の長官である令（二員）、門下省の長官である侍中（じちゅう）（二員）の計六名が宰相で、合議によって最高政務を決定した。

唐の官吏は、三品以上が公卿（こうけい）と呼ばれる。四品、五品が大夫（たゆう）、六品から九品までが士（し）である。九品より上は流内官（りゅうないかん）で、貴族の子弟が選任され、貴族の出自でない者は、任官するにさいして九品より下位の流外官からはじめなければならなかった。

科挙とは、いろいろな科目によって試験をし、人材を選び挙げるという意味である。科挙は隋の文帝のときから貴族や豪族の勢力を弱める目的ではじめられたが、皇帝の一門やその親族、高官の子や孫は官吏になる資格があったので、じっさいには、ほとんどの官吏は特権階級の出身者で占められた。武則天はこの制度を積極的に利用し、能力のある者を登用しようとした。

隋唐の官制はかくのごとく煩雑きわまりないものであった。国土が広くかつ多民族国家である中国と、狭く単一民族で国家を形成した日本とでは単純に比較しようがないが、日本ではつぎのように改変した。中央の二官八省について比較してみよう。科挙は先述のように、とり入れていない。

神祇官　中国の太常寺と役割は似る。

太政官　尚書省都省に相当、太政官のもとに八省が置かれた。中国の六部との関係を↑で示すと、

式部省↑吏部（人事）
治部省↑礼部（儀礼）
民部省↑戸部（財務）
兵部省↑兵部（軍事）
刑部省↑刑部（司法）
宮内省↑工部（造営）
中務省
大蔵省

日本の八省は六部を取りいれ、そこに中務・大蔵の二省を足したことになる。中務省は天皇の秘書室といった役割をはたしていたので、唐の中書省に近い。大蔵省は全国から集ま

る租税などを受けいれ保管する役所で、唐の太府（九寺の一）にあたる。だいぶすっきりしている。

なお、高島俊男が指摘するように、「部省」とつなげる使いかたは中国ではあり得ない。部より省のほうが機構としては上なのだから（高島俊男『明治タレント教授』お言葉ですが…三、文春文庫）。文部省にいたっては最悪である。もともと式部省であった役所を藤原仲麻呂が文部省にかえた。仲麻呂失脚後、すぐに元へもどったけれど、この名称を明治の官制で再使用したのである。文部とは文官の人事をあつかう意であるから、実態とそぐわない。礼部省とすべきであった。その長たる人を「大臣」と称するのもおかしい。帝や王に仕えるのが「臣」なのだから。

唐の門下省や内侍省、そして宰相は日本にはない。内侍とは宦官のことだからないのが当然だとしても、六人も宰相がいるとかえって混乱することを学習して、三省長官の合議による最高政務の決定の方法を採用しなかったのであろう。

律令制の根幹である官吏制度でさえ、いったん咀嚼した上で改変してしまったのである。壁画の細部を日本風に変えることなどなんの雑作もなかったにちがいない。

男装の麗人——あとがきに替えて

いま、本書の校正をしながら、どのような書名にすべきか悩んでいます。原稿を渡した時点では「高松塚・キトラの謎を中国から解く」と名づけていましたが、これでは長すぎて背表紙に入らないとの指摘を受けたからです。でも、高松塚とキトラは欠かすわけにはいかないし、謎を解く、中国とのかかわり、にもこだわりたい。営業サイドの意見も聞かねばなりません。一体どんな書名になるのでしょう。この原稿を書いている時点で、筆者であるわたしも知らないのであります。

またいま、高松塚・キトラの壁画にかんして、新たな課題に取り組んでおります。ひとつは天文図の一部である日像・月像について（これは両古墳に存在する）、もうひとつは高松塚の男性群像についてであります。後者にかんして新たな視点を得られそうなので、そのあらましを記して「あとがき」に替えましょう。一〇三頁の第18図をみながら読んでいただければ幸いです。

女性群像四人×二のほかに、男性群像の中にも女性が混じっている可能性があることに気づいた。東壁の南から一番目の人物（東一、以下同様に南からの順番で番号をふる）と西二は顎鬚と口髭を生やしており、明らかに男性と判断できる。また東四もうっすらと顎鬚が生えているようなので除外できる。残る五人がその候補となり得るのだ。

もっとも可能性が高いのは東三である。来村多加史もこの点に気づき「唇は紅をつけたように赤く塗られ、髭もないことから女性に見まちがうほどである。中国の壁画ならば、この種の男性像は大半が男装の女性である」と記している（来村多加史『高松塚とキトラ―古墳壁画の謎―』講談社）。わたしはさらに指の表情をくわえたい。これは男性にはできない仕草であろう。指先もほっそりしている。斉東方・張静も男装の女性であることを示唆した（「唐墓壁画與高松塚古墳壁画的比較研究」『唐研究』第一巻）。彼らはまた、唐墓壁画においては、男侍は笏（しゃく）を除いて日常生活用具は持たないとも指摘している。とすれば、ヒゲを生やしておらず、折りたたみの椅子を持つ西一やポロのスティックのようなものを掲げる西四も女性の可能性があろう。逆に、長い袋に入れたものを刀剣の類だとすると（東四と西二）、武器は男性が持つ、と判断できるかも知れない。

わたしが注目するのは東三が履くクツである。

さて、東三は墨線で輪郭どり中を縦の平行線でうめたクツをはいているが、これは唐代に「線鞋（せんかい）」、「絲鞋（しかい）」と呼ばれた絹糸を編んでつくった履物、と考えられ（秋山光和「高松塚古墳の壁画」『高松塚古墳と飛鳥』中央公論社）、あきらかにほかの人物とちがう。男性はふつう雲頭履とか尖頭履という先端が長くしゃくれたクツか、黒い革靴（長筒烏靴という長靴を含め）をはいているのだ。東三は男装した女性ではなかろうか。

唐墓壁画においては、新城長公主墓（六六三年）や阿史那忠墓（六七五年）に同様の履をはいた人物が認められるが、どちらも男装の（つまりズボンをはいた）女侍なのである。ほかに段簡壁墓（六五一年）のばあいは仕女がこの種の線鞋あるいは錦鞋をはいている。ほかにもつぎの壁画に認められ、縦縞の長裙が流行した時期とほぼ重なるように思える。

房陵大長公主墓（六七三年）
李鳳墓（六七五年）
永泰公主李仙蕙墓（七〇六年）
懿徳太子李重潤墓（七〇六年）
章懐太子李賢墓（七〇六年）
節愍太子李重俊墓（七一〇年）

女性が男装し、線鞋あるいは錦鞋をはく習俗は、婦女が胡服を着る（すなわちズボンをはく）ことが流行したこととかかわるであろう。秋山は『旧唐書』輿服志に「武徳来婦人著履規制亦重又有線韡、開元来婦人例著線鞋、取軽妙便於事」とする記載に注目した。武徳という年号は唐の建国直後のもの（六一八～六二五年）、残念ながら、壁画においては人物の足下部分は漆喰の損傷が著しく、履物の状況がわからぬばあいが多いので、いつ始まったか確認できないのであるが、開元二十九年（七四一）の李憲墓では石刻画像に認められるので、おおよそ符合するのである。

なお、韋貴妃墓と阿史那忠墓では、胡人の男性馬丁と牛使いがおなじような鞋をはいた場面があるのだが、こちらは目が粗く、麻鞋に相当すると考える。

西三では履物の状況はよく判らないが、黒くはない。これも同様に男装の女性であろう。東三とともにほかの人物よりやや奥まって描かれており、四角い袋を首から懸けているところも共通する。また、これも来村が指摘しているところであるが、東西とも前二人の漆沙冠ではこめかみ付近から細い黒紐が垂れて顎の下に回っているが、この懸緒が後ろの二人にはない、という。このちがいを重視すると、東西両壁の男性群像のうち二人（すくなくとも一人）は男装した女性である可能性が強くなり、古代日本に女性が男装する風があったことになる。

佐原真は「高松塚には男装女侍はいない」と断言する一方、直木孝次郎の指摘にもとづいて、『日本書紀』天平十二年の記載にある「奉翳美人」を男装女侍であると認め、「古代日本にそれがいたことは確実である」と表白している（「高松塚古墳壁画の一背景」『高松塚壁画の新研究』飛鳥資料館）。武田佐知子『衣服で読み直す日本史―男装と王権―』（朝日選書）もまた、武則天、持統天皇、さらには孝謙天皇も重要な儀式に際して男装したことを明らかにした。そして「武則天は、永昌元年以降は、頻繁に皇帝の装束をまとったとみるべきで、筆者は唐代におおいに流行したといわれる女官の男装も、こうした武則天の男装と不可分ではなかったのでは、とひそかに憶測している」と述べている。高松塚に男装の麗人が描かれたとしても不思議ではないのだ。

高松塚・キトラ両古墳にはまだ多くの情報が埋もれています。本書がもし、若き研究者にいくばくかの刺激を与え、両古墳の研究に加わろうとする者が一人でもふえれば、望外の喜びであります。

二〇一〇年五月

山　本　忠　尚

著者紹介

一九四三年、東京に生まれる
一九六七年、国際基督教大学教養学部人文科学科卒業
一九七二年、京都大学大学院文学研究科博士課程考古学専攻単位取得退学
一九七三〜九二年、奈良国立文化財研究所研究員
一九九二年〜現在、天理大学文学部教授

主要著書
『唐草紋』(『日本の美術』三五八号、編) 『鬼瓦』(『日本の美術』三九一号、編) 『日英対照 日本考古学用語辞典』 『日中美術考古学研究』

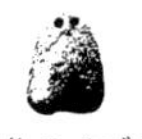

歴史文化ライブラリー
306

高松塚・キトラ古墳の謎

二〇一〇年(平成二十二)十月一日 第一刷発行

著者 山本忠尚(やまもとただなお)

発行者 前田求恭

発行所 株式会社 吉川弘文館
東京都文京区本郷七丁目二番八号
郵便番号一一三—〇〇三三
電話〇三—三八一三—九一五一〈代表〉
振替口座〇〇一〇〇—五—二四四
http://www.yoshikawa-k.co.jp/

印刷=株式会社 平文社
製本=ナショナル製本協同組合
装幀=清水良洋・渡邉雄哉

© Tadanao Yamamoto 2010. Printed in Japan

歴史文化ライブラリー
1996.10

刊行のことば

現今の日本および国際社会は、さまざまな面で大変動の時代を迎えておりますが、近づきつつある二十一世紀は人類史の到達点として、物質的な繁栄のみならず文化や自然・社会環境を謳歌できる平和な社会でなければなりません。しかしながら高度成長・技術革新にともなう急激な変貌は「自己本位な刹那主義」の風潮を生みだし、先人が築いてきた歴史や文化に学ぶ余裕もなく、いまだ明るい人類の将来が展望できていないようにも見えます。このような状況を踏まえ、よりよい二十一世紀社会を築くために、人類誕生から現在に至る「人類の遺産・教訓」としてのあらゆる分野の歴史と文化を「歴史文化ライブラリー」として刊行することといたしました。

小社は、安政四年(一八五七)の創業以来、一貫して歴史学を中心とした専門出版社として書籍を刊行しつづけてまいりました。その経験を生かし、学問成果にもとづいた本叢書を刊行し社会的要請に応えて行きたいと考えております。

現代は、マスメディアが発達した高度情報化社会といわれますが、私どもはあくまでも活字を主体とした出版こそ、ものの本質を考える基礎と信じ、本叢書をとおして社会に訴えてまいりたいと思います。これから生まれでる一冊一冊が、それぞれの読者を知的冒険の旅へと誘い、希望に満ちた人類の未来を構築する糧となれば幸いです。

吉川弘文館

〈オンデマンド版〉
高松塚・キトラ古墳の謎

歴史文化ライブラリー
306

2021年（令和3）10月1日　発行

著　者　山本忠尚（やまもとただなお）
発行者　吉川道郎
発行所　株式会社　吉川弘文館
〒113-0033　東京都文京区本郷7丁目2番8号
TEL　03-3813-9151〈代表〉
URL　http://www.yoshikawa-k.co.jp/

印刷・製本　大日本印刷株式会社
装　幀　清水良洋・宮崎萌美

山本忠尚（1943～）
© Tadanao Yamamoto 2021. Printed in Japan
ISBN978-4-642-75706-5

JCOPY　〈出版者著作権管理機構　委託出版物〉
本書の無断複写は著作権法上での例外を除き禁じられています．複写される場合は，そのつど事前に，出版者著作権管理機構（電話03-5244-5088，FAX 03-5244-5089，e-mail: info@jcopy.or.jp）の許諾を得てください．